バイデンはなぜ、アメリカ最後の大統領になるのか？

日本人が知るべきアメリカ崩壊の真実

米経済誌『フォーブス』元アジア太平洋支局長
ベンジャミン・フルフォード
Benjamin Fulford

かや書房

カバー写真提供・ロイター／アフロ

はじめに

結論から述べよう。

世界は今、未曽有の危機である。

それこそ、紀元前にローマ帝国が誕生して以来、もっといえば人類最古の都市文明とされるシュメール文明が誕生して以来の未曽有の危機だといっていい。

それはなぜか。

それは、今、古代から続く欧米文明の支配体制が終わり、新しい時代への転換が始まろうとしているからに他ならない。

それは産みの苦しみといっていいかもしれない。

その最たる例が２０２０年11月３日に投開票が行われたアメリカ大統領選挙だ。

すでに皆さんもご存じのように、民主党候補のジョー・バイデンが「表向き」には勝利した。

しかし、ドナルド・トランプ大統領は不正選挙を訴え続け、敗北を認めようとしない。

この原稿を執筆している２０２０年12月末の時点で、２０２１年１月20日に行われる予定の大統領就任式に際しても、トランプはいかなる態度を取るのか。あくまでも敗北を認めないこともありうる。武力衝突を含めて、何が起こるのか？

この原稿を書いている現時点では予測はつかないが、本書が発売されるころには、どちらにせよ、はっきりするだろう。

いずれにしても、大統領選挙の結果をめぐって、このようにアメリカ国内がひどい混乱に陥っている原因は、これまでアメリカを支配してきた権力体制が崩壊しつつあるからだ。

アメリカ国防情報局（ＤＩＡ）の元長官で、トランプ政権の大統領補佐官（国家安全保障担当）を務めたマイケル・フリン元陸軍中将は、アメリカの現状について次のように述べている。

「アメリカは建国以来の危機的状況である」

それも当然だろう。なぜならアメリカは国家として、すでに倒産しているからである。アメリカの倒産に関しては本書で詳しく述べていくが、アメリカは２０２０年２月に２度目の不渡りを出し、事実上の国家破綻に陥っているのだ。

この事実はアメリカ政府が発表しているさまざまな数値を見ても明らかである。

例えば、アメリカ財務省が２０２０年12月12日に発表した10月の財政赤字は、前年同月比１１１％増の２８４０億ドルという10月としては過去最大の赤字となっている。２０２０年度（２０１９年10月１日～２０２０年９月30日）のアメリカ政府の支出は６・５兆ドルで、財政赤字は通期で３・１兆ドルとなり、前年の３倍以上にものぼった。

ＦＲＢ（連邦準備制度理事会）や政府機関などの試算によると、アメリカ政府の累積財政赤字や対外貿易赤字、さらにこれから支給予定の年金などの合計はアメリカＧＤＰの約10倍、２００兆ドルをはるかに超えている。

ようするに、どう計算してもアメリカには倒産（デフォルト）を宣言する他に選択肢はないのだ。

このような現実を前にすれば、誰が大統領に就任しても、アメリカの「最後の大統領」となるだろうと私は思っている。

結局、今回の大統領選挙は、「破綻したアメリカの今後」をめぐる戦いであったのだ。

しかし、それはすなわち「世界の今後」を決める戦いであることも確かだ。

これまで世界の裏側には、アメリカをはじめとする各国を支配し、甘い汁を吸い続けてきた「闇の支配者」の存在があった。

闇の支配者は国家として倒産してしまったアメリカを見放しつつあるという情報もあるが、そう簡単にこれまでの既得権益を手放すはずがない。彼らはなんとかしてアメリカの国家破綻を食い止めようとあがき、経済崩壊した現実をごまかそうとしてきた。

それが今回の新型コロナウイルスの感染拡大と、それにともなう世界的な混乱だった。

この新型コロナウイルスをつくり、故意にばらまいたのも彼らの仕業である。

さらに彼らはさまざまな策略を使って、新型コロナウイルスと見せかけたパンデミック騒動をでっち上げていった。

このことも本書で詳しく述べていくが、既得権益を牛耳る彼らは、新型コロナウイルスのワクチン接種という名目で、世界中の人たちを管理下に置き、家畜化しようとする恐ろしい計画さえ遂行しようとしている。

逆の言い方をすれば、彼らはこうまでしなければならないほどに追い込まれているということでもある。

そして、この闇の支配者こそ、私が「ハザールマフィア」と呼んでいる大富豪とその一族の者たちのことだ。

ハザールマフィアは、世界の人口78億人中のわずか700人ほどで構成されている。そんなごく少数の超特権階級が欧米や日本のほとんどの上場企業を支配し、世界中の人たちから資産を吸い上げ、大手マスコミを使って世論誘導してきた。

しかも彼らの根底にあるのは「人類の9割を抹殺し、残りの人々を自分たちの家畜にして支配する」というとんでもない悪魔信仰だ。それこそ彼らはこの悪魔信仰のもと、第3次世界大戦を勃発させようと絶えず画策してきた。

しかし、このような悪魔的な権力マフィアに「待った」をかけようとする人たちが生まれてきている。

アメリカ軍の中の良識派と呼ばれている人たちやイギリス連邦、アジアの結社、中国、バチカンなどだ。このまま世界の頂点にハザールマフィアがいる限り、待っているのは人類の滅亡でしかない。いわば「反ハザールマフィア」ともいうべき新しい勢力が危機感を抱き、結束していったのだ。

そして、現在、とうとう反ハザールマフィアの交渉が実りつつあるという情報が入ってきている。彼らは新しい世界体制を構築するために、水面下で着々と話し合いを続けているというのだ。

もちろん、だからといって、新しい世界体制になるにはまだまだ時間が必要だろう。現にこれまでも、これら新しい勢力がハザールマフィアと戦ってきた。

２００1年9月11日のアメリカ同時多発テロ事件をきっかけとして、新しい勢力はハザールマフィアに戦いを挑み、前回の２０１６年アメリカ大統領選挙に至ってはハザールマフィアが推すヒラリー・クリントンを敗北させることに成功した。しかし、世界を支配してきたハザールマフィアの体制を打ち破るまでにはいかなかった。

何度もいうようだが、ハザールマフィアはそう簡単に退場するわけがないからだ。前回の大統領選挙で当選したトランプに対しても、ハザールマフィアは巧妙に近づき、弱みを握っていった。

ハザールマフィアがつくり上げた今回の新型コロナウイルスのパンデミック騒動にしても、まだまだ終息していないばかりか、第2波、第3波が世界を襲っている。

アメリカ国内でも大規模なデモや暴動が頻発しており、新大統領就任後には新しい世界規模の衝突が起きるかもしれないという物騒な情報も入ってきている。

さらに、世界各地で山火事が発生したり、上空に未確認飛行物体が出現したりしている。

これらはすべてハザールマフィアが演出する黙示録的な「人工世紀末劇」であり、人々を惑わす策略でもあるのだ。

とはいえ、新しい勢力が結束しつつある現在、そんなハザールマフィアとの戦いもいよいよ決着を迎えようとしていることも確かである。

アメリカ国内の混乱はしばらく続くだろうが、世界ではすでに新しい勢力が旧勢力を追い出そうとしている兆候が現れ始めている。

例えば、ヨーロッパはこれまでの「アメリカとのＮＡＴＯ同盟」から「ＥＵ・ロシアの同盟」へと安全保障政策の軸足が移り始めた。

中東もアメリカの力が弱まったことで地殻変動が起きている。

これらの国際情勢を見ても、世界は確実に変わりつつあるということだ。

その上、ハザールマフィアに対する粛正も本格化してきた。関係者ばかりでなく、その配下だった世界各国の主導者たちにもその手は伸びつつある。

その手始めの一人として権力の座から引きずり下ろされたのが、誰あろう、私たち日本の総理大臣、安倍晋三だった。このことについても本書で詳しく述べていく。

世界は今、未曽有の危機であると私は冒頭で述べたが、だからといって私は何も悲観的になっているわけではない。それどころか、希望の光をも感じている。まずは本書をじっくりと読んでほしい。

バイデンはなぜ、アメリカ最後の大統領になるのか？

日本人が知るべきアメリカ崩壊の真実

◆目次

第1章

バイデン大統領誕生と「不正選挙」の実態

トランプ敗北に隠された真実

前代未聞の大統領選挙「何が起きていたのか?」

2020年のアメリカ大統領選挙は、これまでアメリカで行われてきた4年に1度の通常の大統領選とはまったく異なっていた。まさに異常といっていいくらいのものだった。

それこそ11月3日の投票日の直前に、首都であるワシントンDCをはじめ、アメリカ各地でバリケードが張られ、ショーウィンドウが板で覆われるなど、騒然とした雰囲気となった。アメリカ国民の多くは大規模な暴動やデモが勃発するのを恐れた。このような混乱が予想された大統領選挙がかつてあっただろうか?

今回の大統領選挙において私の当初の予想は、現職の大統領であるドナルド・トランプが再選されるというものだった。民主党候補であるジョー・バイデンの後ろにいる勢力とトランプの後ろにいる勢力とを比較し、トランプ側が優勢だろうと判断したからだ。

しかし選挙の結果は、バイデンの勝利となった。

これに対してトランプは不正選挙があったとして敗北を認めず、法廷闘争も辞さない構えを見せ続け、12月14日の選挙人による投票によってバイデンの勝利が事実上確定した後もその姿勢を崩さないどころか、2020年12月末日現在でも敗北宣言を拒否している。これまでの大統領選挙では投票の結果を厳粛に受け止め、一方の候補が敗北宣言をすることで、それまで選挙戦を戦ってきた国民を一つにすることが慣習であり、伝統となっていた。しかし、トランプはそれらを無視し続けている。まさに前代未聞の出来事だといっていい。

とはいえ、「はじめに」でも述べたが、バイデンにしろ、トランプにしろ、誰が大統領になろうとも、実質的にアメリカの最後の大統領になるだろうというのが私の考えだ。それはアメリカという国がすでに倒産状態にあるからであり、誰が大統領になっても、これまでどおりのアメリカを運営していくことは困難だからだ。

アメリカが国として破綻している実態は第4章で詳しく述べるが、例えば、アメリカ国内では現在、5000万人以上の人たちが食糧不安に陥っており、そのため食品やその他の必需品の万引きが大幅に増加し、社会問題になっている。そんな一例を持ち出すまでもなく、アメリカという国が崩壊していることはもはや紛れもない事実なのだ。

このような社会情勢への不安がアメリカ国民に与えている影響は計り知れない。それが2020年のアメリカ大統領選挙を異常なものにした遠因であったともいえる。

さらに今回の大統領選挙がこれまでと決定的に違うのは、長きにわたり人類を支配してきた体制が変わろうとしている中で大統領選挙が行われたということである。

人類を支配してきた体制とは、いうまでもなく、私が「ハザールマフィア」と呼んでいる勢力のことだ。彼らは欧米や日本の大企業を支配し、絶大な権力をふるってきた。しかし、そんな彼らの支配体制が揺るぎ始めており、なんとか巻き返しを図ろうと最後の悪あがきをしている。そんな中で行われたのが今回の大統領選挙であり、これは「破綻したアメリカの今後」をめぐる戦いであると同時に、「世界の今後」をめぐる戦いでもあったのだ。

この戦いは大きく分けて、「ハザールマフィア」対「世界各国の軍や司法当局、諜報機関などの改革派」という構図で見ていくと分かりやすいだろう。

ハザールマフィアの権力の源泉は「お金」と「脅迫や賄賂で手なずけた政治家」、そして「プロパガンダ部隊の大手マスコミ」であるのに対して、改革派のグループは能力主義と民主主義を基本理念に掲げている。

この戦いを今回の大統領選挙に当てはめると、民主党候補のバイデンの後ろにいるのはハザールマフィアであり、トランプの後ろにいる勢力は改革派のグループということになる。

ただし、トランプは2016年の大統領選挙で改革派の後押しで大統領に就任することができたにもかかわらず、この4年間、ハザールマフィアに弱みを握られ、結果的にいいように手なずけられてきた感は否めない。とはいえ、ハザールマフィアにすれば、そんなトランプよりもバイデンを大統領にした方が自分たちの地位を安全にできることは確かだ。だからこそハザールマフィアは「お金」と「プロパガンダ部隊の大手マスコミ」を駆使して、バイデンを大統領に就任させようとしたのだ。

しかし、ハザールマフィアの力は日に日に弱まっており、バイデンを当選させる力はすでにないだろうというのが私の予想だった。ところが、トランプが主張するように不正選挙があったにせよ、選挙の結果はバイデンの勝利となった。これはハザールマフィアの必死なまでの悪あがきの成果だともいえるが、なぜバイデンが勝利したのか、不正選挙の実態を含めて、今回の大統領選挙で何が起こっていたのかを次に詳しく見ていこうと思う。

CGでつくられたバイデンの「影武者」

前回2016年の大統領選挙と同様に、今回2020年の選挙も従来の分析では予想が難しい状態だった。世論調査ではバイデンの方が有利と大手マスコミを中心に報道されていたが、それを鵜呑み(うの)みにできないことは前回の選挙で実証済みだった。

前回の選挙では、ニュースを見る限り、民主党候補のヒラリー・クリントンの圧勝と思われていたのに、ふたを開けてみれば、獲得選挙人の総数はトランプが306人、ヒラリーが232人という大差だった。ヒラリーが優勢だという世論調査を操っていたのがハザールマフィアであることはいうまでもない。アメリカの大手マスコミは皆、ハザールマフィアの支配下にある。彼らは自分たちを有利に導くため、ハザールマフィアの一員であるヒラリーがあたかも優勢であるかのようにアメリカ国民を誘導しようとしていたのだ。

その最たる例は、ワシントン・ポストが配信した一枚の写真だろう。そこにはヒラリーを取り囲んだ大勢の支持者たちの熱狂的な様子が写っていた。これだけ見れば、ヒラリーがいかに多くの人たちに応援されているのかが分かる。しかし、実際にはその集会にいた支持者たちは写真に写っているヒラリーを取り囲んでいる人たちだけで、写真に写っていない場所にはまったく人がいなかった。つまり、いかにも大群衆がいるように写真を撮っただけで、本当はその集会は閑散としていたのだ。この事実は当日その場にいたトランプ支持者が会場全体の写真をネットに投稿したためにバレてしまった。

ハザールマフィアと民主党はそのような前回の失敗を踏まえて、バイデン候補がなるべく人前に出ないような作戦を取った。

それだけでなくバイデンには失言が多い。遊説(ゆうぜい)に訪れたウィスコンシン州ケノーシャで「ケノーシャの有権者たちに課税政策をより詳細に説明すれば、彼らは私を撃ち殺すだろう」と発言したことがあった。よりによってケノーシャで黒人男性が背後から警察官に複数回銃撃を受けた事件があった直後にである。それでなくてもその当時、ミネソタ州で白人警察官による黒人男性の死亡事件によって全米各地が黒人差別反対運動の「ブラック・ライヴズ・マター」で盛り上がっていた最中で、ジョークとしても不謹慎だった。

バイデンに認知症の傾向があることは、アメリカ国民の間では衆知の事実だ。アメリカ最大手の世論調査機関による調査によると、バイデンが痴呆症を病んでいると思っているアメリカ有権者は全体の38％に及んだ。

今回の選挙戦中、バイデンはアメリカでの新型コロナウイルス感染の死者が12万人だったときに1億2000万人だと間違えて発言したり、オバマ政権の副大統領時代にアフガニスタンを訪れて武勲をあげた将校に勲章を授与したと誇らしげに語ったが、実際は副大統領時代にアフガニスタンを訪れたこともなければ、勲章を授与したこともなかった。

バイデンは失言を指摘されるたびに記憶違いを認めて謝罪を繰り返したが、トランプが見逃すはずがなかった。バイデンが認知症だとするツイートをそれこそ1時間に50回も発信したほどだった。

そんなバイデンを人前に出さないようにするために、新型コロナウイルスの感染対策という理由はまさにうってつけだった。トランプが従来どおり会場に支持者を密集させて演説したのに対して、バイデンの集会は密集を避けるために会場に車を乗り入れる「ドライブイン」方式を取ったので聴衆は制限された。

象徴的だったのは民主党の党大会だった。本来なら会場に支持者を集め、その熱気をアメリカ国民にアピールする場なのに、まったくの無観客でイベントを行った。しかもその場でバイデンは副大統領候補にカマラ・ハリス上院議員を正式に指名したが、そのときに演説しているバイデンの映像が明らかにおかしく、バイデンの口が顔のサイズに対して異様に大きく見えた。そのために、そこに映っていたバイデン自身がじつは「CG」でつくられたものではないかと疑われたほどだった。他にも耳たぶの形が明らかに異なるバイデンの画像がインターネット上に出回り、影武者の存在も疑われるようになった。

しかし、それは疑惑などではなく、現在のCG技術をもってすれば、可能なことだろう。バイデンのバックにいるハザールマフィアはマイクロソフトをはじめとする大手IT企業を支配下に治めているため、やろうと思えばいくらでも可能なのだ。そして、CGでバイデンをつくってしまえば、失言や認知症的な言動を排除することができる。

さらに副大統領候補に指名されたハリスが指名受託演説を行った際、オンラインで参加する一般の民主党支持者たちがスクリーンに映し出されていたが、よく見ると同じ人間がいくつも重複していた。トランプ陣営の選挙キャンペーン担当であるザック・パーキンソンはすぐに反応し、次のようにコメントした。

「どうやら、DNC（民主党全国委員会）はカマラ・ハリスの熱狂的支持者を30人も見つけることができず、同じ支持者のリモート動画を寄せ集める必要があったようだ」

バイデンにはCGでつくられた「影武者」が存在する？

大統領選中のバイデンの画像。上と下の画像を見比べると、耳たぶの形が明らかに異なっている。どちらかがCGによってつくられた「影武者」だとささやかれている。今回の選挙中、無観客で行われたイベントなどの中継では、失言や認知症的な言動を繰り返す本物のバイデンではなく、CGの影武者が演説をしていた可能性が高いとされる。

まさに前回のヒラリーが熱狂的な大群衆に囲まれているかのように見せた写真を配信したように、今回も民主党とバイデンを推すハザールマフィアは支持者が多くいるように見せる細工を行ったのだ。しかし、それは前回同様、すぐに見破られてしまった。

選挙報道を一変させたインターネットの功罪

今回の大統領選挙を見て分かるのは、まったくの泥仕合だったということだ。政策よりも相手の非難や欠点の言い合いに終始した。それは前回の大統領選挙と同じだとはいえる。

これもインターネットの発達によるものだろう。それまではハザールマフィアが支配する大手マスコミの情報だけが垂れ流され、それに世論が左右されていったが、インターネットがこれだけ人々の間に広まってくると、大手マスコミからの影響を受けるどころか、逆に反発していく面が強くなる。それにともなって大手マスコミもインターネットを駆けめぐる話題を無視することができず、後追い記事を発信するようなことまで起こり、それがひいてはお互いの非難や欠点を言い合うような対立の構図をつくり上げたのだ。

例えば、前回の大統領選挙でヒラリーが負けた要因の一つに「私用メール問題」というものがあった。これはヒラリーがオバマ政権の国務長官時代に個人のメールサーバーを通じて仕事のメールをしていたことで問題となったのだが、このニュースは当初、大手マスコミでは取り上げられなかった。しかし、インターネット内で話題になったことから大手マスコミも取り上げざるを得なくなり、結果的にヒラリーを追いつめることになった。

さらに「ピザゲート」事件も忘れてはならない。ヒラリー陣営の選挙責任者であったジョン・ポデスタが人身売買や児童買春に関与しているメールが暴露された事件だが、これも大手マスコミはいっさい無視した。しかし、インターネットでこの事件が拡散されていき、ついには人身売買の拠点と見なされたピザの店がライフルを持った男に襲撃されるという事態にまで発展した。いくら大手マスコミが世論を押さえ込もうとしても、それがもはやできない時代になっているのだ。

今回の大統領選挙においても同じようなことが象徴的に起きた。バイデンにまつわる疑惑について、ツイッターやフェイスブックなどのソーシャルメディアが拡散を制限したのだ。もちろん、これらのソーシャルメディアはハザールマフィアの支配下にあることはいうまでもない。拡散を制限したのはその情報の真偽が不明だからというのが建前上の理由だが、明らかに前回の大統領選挙の失敗を踏まえたものだと思われる。ハザールマフィアとしては何としてでもバイデンが不利になるような情報を制限したかったのだ。

これに対してトランプ陣営が猛反発したのは当然のことだが、さらにアメリカ司法省が

２０２０年10月20日に11州の司法当局と共同で10月20日にグーグルを反トラスト法（独占禁止法）違反で提訴したことも見逃せない。グーグルはフェイスブックやマイクロソフトなどとともに世界を代表するアメリカのＩＴ企業だが、もちろん、ハザールマフィアの影響下にある。つまり、バイデンにまつわる疑惑の拡散を制限したハザールマフィアに対する報復として、トランプ政権側がグーグルを提訴した可能性があるのだ。これを見ても、アメリカの権力構造の内部でハザールマフィアに対する戦いが起こっていることは明らかである。

不正にセクハラ……疑惑まみれのバイデン

先ほど私が述べたバイデンにまつわる疑惑というのは、バイデンが副大統領のとき、ウクライナのエネルギー企業の役員を務めていた彼の次男ハンター・バイデンが、父親の地位を利用して不正なビジネスを働いていたという疑いである。

この「ウクライナ疑惑」に関しては早くから報じられていた。トランプはこの疑惑を利用しようとしたが、逆に大統領の弾劾裁判にまで発展してしまう。その弾劾理由とは、トランプが大統領選挙まで1年足らずとなった２０１９年7月にウクライナ大統領に就任したウォロディミル・ゼレンスキーと電話会談を行った際、バイデンとその息子に関する情報を軍事援助の見返りとしてゼレンスキーに求めたというものだった。まだこのときバイデンは民主党の大統領候補に選ばれていなかったが、トランプはこの時点ですでに大統領候補となる公算が高いだろうバイデンを蹴落とそうとしていたのだ。

しかし、トランプに対する弾劾裁判は２０２０年2月5日、無罪判決が下り、トランプは大統領の地位を失うようなことにはならなかった。弾劾裁判の判決は上院議員による投票で決まるので、トランプを支持する共和党議員が多数を占める上院ではある意味、当然の無罪判決だった。

ところが大統領選挙の運動が加熱していった２０２０年10月14日、ニューヨーク・ポストがバイデンの次男が受け取っていた電子メールのデータなどを入手し、当時副大統領だったバイデンと次男が役員を務めているウクライナのエネルギー企業の幹部が会っていたことを裏付ける証拠を見つけたと報じた。つまり、ウクライナにおけるバイデンの次男の不正ビジネスに関する疑惑を大統領選挙直前に再び持ち出したのだ。

ただし、ニューヨーク・ポストが入手した電子メールが本物であるという確証はなかった。同紙によると、この電子メールは２０１９年にバイデンの地元であるデラウェア州のパソコン修理店に預けられたパソコンの中から見つかったという。さらにこの事実をＦＢＩに通報したが、まともな捜査がなされなかったために、修理店の店主がトランプの顧問弁護士であるルドルフ・ジュリアーニ元ニューヨーク市長の関係者に渡したというのだが、これがどこまで真実なのかは不明だ。そもそもこの疑惑を報じたニューヨーク・ポストはニュースを面白おかしく取り上げるタブロイド紙であり、トランプ支持を明確にしている新聞でもある。

しかし、バイデンは当然のようにこの疑惑を否定したが、トランプ陣営はこの報道を拡散しようとした。そこに待ったをかけたのが、先に述べたツイッターやフェイスブックなどのソーシャルメディアだったのだ。

しかも、排除されたのはこのニュースだけではなかった。副大統領時代のバイデンが当時のウクライナ大統領ペトロ・ポロシェンコにウクライナ検察総長を解雇するよう圧力をかけ、息子に捜査の手が伸びることを防ごうとした音声もツイッター社によって削除されたことが分かっている。

おまけに2019年にウクライナの新大統領に就任したゼレンスキーは、バイデンとその息子に不正なお金が流れていた証拠があることを記者会見で発表したにもかかわらず、大手マスコミはこれを無視して報道しなかった。

さらにバイデンは以前から多くのスキャンダルを抱えており、未成年の少女に対する卑猥な言動に関する映像もインターネットに拡散されていたのだが、今回の選挙運動期間中に軒並み消されていた。成人女性に対するバイデンの過去のセクハラ写真も隠滅させられたことが、シークレットサービスによって暴露されている。ハザールマフィアはこれほどまでに、今回の大統領選挙に神経を尖らせ情報を遮断しようとしていたのだ。

トランプのコロナ感染と「暗殺の危機」

そもそも、今回の大統領選挙は中止されるのではないかという情報さえ各国の諜報機関筋から届いていた。トランプ陣営が「ロシア疑惑」の捏造を理由にヒラリーなどの民主党関係者を大量に逮捕し、政界を混乱させて大統領選挙を中止に追い込むというシナリオがあったともいわれる。ロシア疑惑とは、前回の大統領選挙でトランプを勝利させるために、ロシアがサイバー攻撃などを行って世論工作や選挙干渉を行ったとされる疑いだが、これを民主党が捏造したとして今ごろになって弾劾しようとしたというのだ。

さらに、政治家や論客たちの間でも、今やアメリカは内戦状態であり、大統領選どころではないだろうという意見も飛び交っていた。アメリカが現在、内戦状態にあり、経済や社会が崩壊しつつあることは第4章で詳しく述べるが、現実問題としてアメリカは新型コロナウイルスの感染拡大もあって、中小企業の倒産が続き、ニューヨーク市では50万以上の人々が職を失っている。各地の大都市ではテントを張って路上生活している生活困窮者も多く、全米各地などの大都市では無料配布される食糧を求めて長蛇の列が日常の光景となった。大統領選どころではない状況だったのだ。

このようなアメリカの混沌とした社会情勢の中、トランプを暗殺しようという動きもあったようだ。トランプが２０２０年10月2日に自身が新型コロナウイルスに感染したことを発表した。これは暗殺から身を守るために新型コロナウイルスに感染したことを口実に公務を取りやめて、身を潜める必要があったからだといわている。

国家安全保障局（ＮＳＡ）やＣＩＡ（中央情報局）の情報筋からも、トランプの新型コロナウイルス感染はトランプ陣営の演出だったという情報が入ってきている。

その情報を裏付ける画像も出回っている。アメリカ政界の暴露を発信し続けている「Ｑアノン」のサイトに9月17日付けでミッキーマウスの時計の画像が投稿されていたが、これを見ると、時計の針になっているミッキーの手が10と2を指している。一般的に大統領選挙の直前である10月に選挙結果に大きな影響を与える出来事が起こることが多く、それを「オクトーバーサプライズ」というのだが、まさに10月2日に何かが起こるだろうことをこのミッキーマウスの時計が暗示していたのだ。

しかも9月18日には第三者の何者かが以下のコメントをツイッターに投稿していた。

「トランプのオクトーバーサプライズは、『彼の（新型コロナウイルス）感染』発表だ。フェ

トランプのコロナ感染は暗殺から身を守るための「フェイク」

JohnCammo
@JohnCammo

Trump's October surprise will be the announcement of "his infection." Fake, but quite dramatic. This twist will blow Biden off the screens, the "Trump COVID watch" dominating every minute of every day. Then, 14 days later, Trump will emerge, 100% cured by **hydroxychloroquine**.

12:51 AM · 9/18/20 · Twitter for iPad

10月にコロナ感染後、「すぐに治る」というビデオメッセージをTwitterに投稿したトランプ（写真上）。しかし、実際には感染しておらず、暗殺から身を隠すための口実だったとされる。また、その前月の9月の時点でトランプのコロナ感染を予言し、しかも「仮病」だと見抜いていたツイート（写真下）の存在が確認され、話題となった

（出所）Twitterより

イクだが、かなりドラマチックだ。この意外な展開でトランプの病状が毎日、毎分のように報道を支配し、バイデンの姿はテレビ画面から消える。そして14日後、トランプは抗マラリア薬ヒドロキシクロロキンで完全治癒したと姿を現す」

この9月18日付けのコメントを誰かがトランプのツイッターに投稿したことで、このコメントの存在が明るみになったのだが、トランプが公務に復帰したのは14日後ではなく5日後のことで、治療薬もヒドロキシクロロキンではなくレムデシビルだったという違いはあるものの、トランプが新型コロナウイルスに感染したと発表することをあらかじめ知っていたかのような内容であることは確かだ。

さらに10月2日にトランプが新型コロナウイルスに感染したことを発表した直後、アメリカ軍のボーイングE-6Bマーキュリー航空機が一機ずつ東海岸沖と西海岸沖で上空を飛行していたことも分かっている。

このE-6Bは、大統領や国防長官から核発射命令などを受け取り、その命令を弾道ミサイル潜水艦に伝達するためにつくられた通信の中継基地の役割を果たすものであり、本来なら、よほどの緊急事態でもなければ配備されることがない。そのE-6Bが2機も東海岸と西海岸の上空を同時に飛行していたというのは、アメリカ国内で何かしらの危機的状況が現在進行形で起きていたということに他ならないのだ。

ハザールマフィアが暗躍する不正選挙

今回のアメリカ大統領選挙がこれほど異常であったのは、アメリカ国内のハザールマフィアの力が弱まったからだといえよう。もちろん、ハザールマフィアが弱体化する兆候は前回の大統領選から始まっていた。ハザールマフィアが推すヒラリー・クリントンが圧勝すると見られていたのに、結果は大敗北に終わったからだ。

ハザールマフィアに油断があったことも確かだった。共和党候補のトランプは数々のスキャンダルを抱えており、いつでも排除できる存在だと思っていた。ハザールマフィアの傘下にある大手マスコミもトランプの過去のわいせつ発言などを取り上げ、ネガティブキャンペーンを展開した。トランプは単にヒラリーの引き立て役でしかなかったのだ。

しかし、ヒラリーの不人気は想像以上だった。どんなにごまかそうとしてもヒラリーの集会には人が集まらなかった。もしも投票結果が僅差だったら、ハザールマフィアの力で投票結果を操作することも可能だったろうが、あまりの大差ではどうすることもできなかった。

じつはハザールマフィアは、これまでも大統領選挙で数々の不正行為を行ってきた。その最たるものが、2000年に行われたジョージ・W・ブッシュとアル・ゴアとの大統領選挙だろう。ゴア陣営が票の数え直しを法廷に訴えもしたが、連邦最高裁はその訴えを拒否し、ブッシュの勝利が確定された。票を数え直せばゴアの勝利だったのに、ブッシュの後ろにいるハザールマフィア勢力がそれを阻止したのだ。

とはいえ、このときの両者の対決はハザールマフィア内部の権力闘争の一面があった。ジョージ・W・ブッシュはCIAを配下に置くことでハザールマフィア内部で勢力を得てきたブッシュ一族のメンバーであり、これに対してゴアは地球温暖化派といわれていたイギリス王室を中心としたヨーロッパのハザールマフィアをバックにしていたからだ。

2004年のブッシュと民主党のジョン・ケリーとの大統領選挙も、ハザールマフィア内の権力闘争という同じ構図だった。前回の投票結果の混乱を反省してフロリダで電子投票システムが導入されたが、電子投票ゆえにマイクロソフトなどを傘下におくハザールマフィアにすれば不正をしやすくなり、激戦の結果、ブッシュが再選を果たした。

2008年のバラク・オバマとジョン・マケイン、2012年のオバマとミット・ロムニーの大統領選挙もまた同じ構図だったが、今度は地球温暖化のハザールマフィアにオバマと同じ有色人種であるアジアの王族が荷担したことでオバマの勝利となった。オバマが勝利することは最初から決められていたといってもよく、彼らが描いた脚本どおりの結果となった。

しかし、2016年の前回の大統領選挙から様相が変わった。ハザールマフィアからすれば単なる負け役でしかなかったトランプが、ヒラリーを大差で破ってしまったのだ。

このとき、トランプが勝利した陰にはアメリカ軍やCIAなどの中で良識派と呼ばれている勢力の後押しがあったことも重要な要素だった。「はじめに」でも触れたが、悪魔信仰に基づき人類を支配するハザールマフィアに危機感を抱いた良識派が公然と反旗を翻したのだ。前回の大統領選挙でトランプが勝利したのは、アメリカ軍内で良識派とハザールマフィアに忠誠を誓う守旧派との間で激しい銃撃戦が行われた結果、良識派が勝利したからだという情報もある。さらに、このアメリカ軍に「グノーシス派」が荷担したことも分かっているが、「グノーシス派」とはどんな一派なのかも含めて第5章で詳しく述べることにする。

そして今回の大統領選挙だが、ハザールマフィアの力がさらに弱まったことで、いっそう混沌とした状況になったことは間違いない。しかも世界では今、アメリカ軍の良識派を含めた世界中の反ハザールマフィアの勢力が結束し、新しい世界体制を構築するための話し合いを水面下で行っている最中でもある。このことについても第6章で詳しく述べていく。

バイデン敗北なら第3次世界大戦が勃発

ハザールマフィアの力が弱くなったことは確かだが、だからといって壊滅したわけではない。じつは大統領選挙を目前にした２０２０年10月下旬に、選挙に関してハザールマフィアに通じる人物から私のもとに脅迫めいたメールが届いた。

「バイデンが大統領選で勝利しなければ、中国が台湾侵略を開始し、第３次世界大戦を勃発させる」

私はアジアの結社筋と多くのコネクションを持っているので、ハザールマフィア側の人物がこのようなメールを送ってきたのだろう。私がアジアの結社筋に連絡をとったところ、バイデンの裏にいるロックフェラーなどのハザールマフィア勢力が日本、朝鮮半島、ＡＳＥＡＮの支配権を差し出す見返りとして、資金援助とバイデンが次期大統領の座に就くための後ろ盾となるよう中国側に求めていることが分かった。つまり、「中国連邦樹立」のオファーだ。ハザールマフィアは自分たちの延命のために、中国と手を結ぼうとしていたのだ。

一方のトランプ陣営はというと、新型コロナウイルスを「中国ウイルス（China virus）」と呼んでいることからも分かるとおり、中国政府に喧嘩を売っている状態だった。しかも新型コロナウイルスは「中国の生物兵器による攻撃」と言い放つなど、一国の大統領の発言としては宣戦布告以外の何ものでもない。

このような状況を受けて、先に挙げた「グノーシス派」がトランプおよびバイデンの裏にいるそれぞれの勢力に向けて以下のメッセージを送ったことも分かっている。

「もし、台湾などで第3次世界大戦勃発に向けた工作が確認されれば、上海と北京でそれぞれ500メガトン級の核爆発が起きる。そして、その後に中国側の報復としてニューヨークとワシントンDCも核で爆破されることになる」

アメリカ当局もこの警告を真剣に受け止め、核探知専門のヘリコプターが低空飛行でワシントンDC全域の放射線レベルをしらみつぶしに調査していたことも分かっている。

どちらにせよ、水面下でこのような動きがあること自体、人類にとって望ましいことではない。今やるべきことは、戦争のない、緩やかに連帯する世界を誕生させることではないのか。さらに大統領選挙直前になって、欧米騎士団の代表から私のもとに連絡が入った。

騎士団というものについては、日本人はなかなか理解できないと思うが、欧米の王族や政治家、特に高級軍人たちは、騎士団に所属する文化を持っている。有名なのはイギリスのガーター騎士団とハプスブルク家のゴールデン・フリース騎士団だろう。これらの騎士団には各国の王族や大統領経験者など世界のVIPがずらりと所属しており、時には自国の利益よりも騎士団の名誉を重んじる風潮さえある。

今回、私のもとに連絡してきたのは、マルタ騎士団やテンプル騎士団などの有力な欧米騎士団のアメリカ大使であるアンドリュー・ヘルムからだった。

彼は今回のアメリカ大統領選挙の結果次第で第3次世界大戦に突入するような事態を避けるため

に、アジアの結社などの反ハザールマフィアに対して、アメリカ海軍の退役軍人で元ＣＩＡ捜査官のロバート・デイヴィッド・スティールを欧米側の交渉窓口にしたいと申し出てきた。

確かにハザールマフィアは、自分たちの延命のためなら第３次世界大戦を起こすことも平気な連中だ。しかも中国勢の中にも「バイデンが落選するか、もしくはうやむやに選挙結果の発表が引き延ばされるならば、すぐにでも台湾進攻を始めるべきだ」と主張している派閥があることも確かであり、もしもアメリカと中国の間で武力衝突が起こるようなことになれば、それが全面核戦争へと発展していくことは確実となる。

そんな事態を防ぐためにグノーシス派は「上海、北京、ニューヨーク、ワシントンＤＣで核爆発が起きる」と米中両陣営に警告を発したわけだが、このような衝突を回避すべく欧米騎士団を代表してヘルムがアジアの結社たちに欧米勢力との和解を持ちかけてきたのだ。

私が彼のメッセージをアジアの結社筋に伝えたところ、次のような回答が帰ってきた。

「アジア勢としては、まだ代理を立てることは時期尚早と思っています。年明け２０２１年３月以降ならば交渉を考慮しても良いのですが、我々は欧米の様子を見るつもりです」

いずれにせよ、大統領選挙直前になって欧米の有力な騎士団勢力からアジアの結社に対して東西勢力の団結を求めるメッセージが送られてきたということは、それほどまでにハザールマフィアが支配してきた欧米社会そのものが追いつめられているという証拠でもある。

先手を打って最高裁判所を押さえたトランプ

今回の大統領選挙が「普通でない」ことはトランプ自身も感じていたことだろう。2020年8月の時点で、ツイッターで次のようなメッセージを配信していた。

「私の見解では、11月3日の大統領選挙の結果が確定するのに数週間から数カ月かかる可能性がある。もしかしたら永遠に結果が出ないかもしれない」

だからこそ、アメリカ連邦最高裁判事ルース・ベイダー・キンズバーグの死が9月18日に報じられるとトランプは素早い対応を取った。

キンズバーグはアメリカ最高裁で史上2人目の女性判事であるばかりでなく、女性や少数派の権利を強力に擁護したリベラル派判事として大きな影響力があった。しかもアメリカの最高裁判事の任期は終身なので、彼女の死によってリベラル派と保守派との均衡が崩れる可能性が出てきた。それまで最高裁は長官を含む計9人中、5対4で保守派が多数となっていたが、キンズバーグの後任に保守派がなれば、6対3で圧倒的に保守寄りになる。それでなくてもトランプは、これまでもすでに保守派の判事を2人も最高裁に送り込んできた。トランプが所属する共和党は保守派であり、民主党はリベラル派だというのが一般的な見方だが、保守派の判事がこれ以上増えれば、民主党がいっそう不利になることは確実だ。当然のように民主党は、大統領選挙が終わるまでキンズバーグの後任を決めるべきでないと主張した。

しかし、トランプは早くも9月26日に保守派のエイミー・コニー・バレットを指名し、公聴会などの手続きを経て10月27日に正式に最高裁判事に就任させた。

これで大統領選挙について何らかの疑惑があると裁判に訴えた場合、トランプに有利になることが確定したと思われた。11月3日の選挙で大差が付かない場合は、トランプとバイデン両陣営からクレームが付き、裁判に持ち込まれることになるだろうと予想し、トランプは先手を打ったのだ。トランプ自身も、今年の大統領選挙は連邦最高裁判所で決着するだろうと言い始めるようにもなっていった。

バイデン勝利と不正の温床「郵便投票」

今回の大統領選挙で注目されたことの一つに郵便投票がある。トランプ陣営も、もしも選挙に不正が行われるとしたら、それは郵便投票だろうと早くから主張していた。

郵便投票とは、2020年11月3日の投票日に直接投票場に行かなくても、郵便で一票を投じることができるシステムのことで、一般的にこの郵便投票を利用する人は民主党支持者が多いといわれていた。バイデン陣営も新型コロナウイルスの感染拡大もあって、投票場に行かなくてもいい郵便投票を支持者に呼びかけた。

しかし、郵便投票は、州が一斉に有権者に投票用紙を送り付けるため、引っ越した人やすでに死亡した人の住所にも送られてしまうことがあり、その投票用紙が悪用されるという恐れがある。もちろん、不正が行われないように各州とも本人確認を厳格化し、誰かがなりすまして投票できないようにしているのだが、投票用紙が郵送され始めた10月上旬、ニューヨーク州でミスが発覚したことで、トランプ陣営は格好の攻撃材料を得た。ニューヨーク州がブルックリン在住の9万9477人に発送した郵便投票用の書類に別人の住所と氏名が印刷された返信用封筒が入っていたのだ。ニューヨーク市選挙管理委員によれば、原因は印刷工程のミスだったと弁明したが、トランプはすぐに以下のようなツイートを発信した。

「ニューヨーク市の郵便投票10万件が大混乱。市長も知事もどうしたらいいか分からない。巨大なインチキ、修復不可能！」

トランプは、郵便投票をした人が投票所に行って再度投票をする「二重投票」を働く可能性もあるとして、これも攻撃材料にした。遊説に訪れたノースカロライナ州ではわざと有権者を挑発するように、郵送と直接の2回投票することを促すような皮肉な発言までした。

そんなトランプ陣営の危機感をよそに郵便投票は前回の大統領選挙よりも大幅に増え、大統領選挙を8日後に控えた10月26日時点ですでに約4380万人が郵便投票を行い、さらに日を追うごとに増えていった。しかし、郵便投票が増えたということは、それだけ不正が行われたとトランプが主張できる材料が増えたということでもある。大統領選挙前のバイデンとのテレビ討論会などでもトランプは、選挙で負けたときは不正選挙だとして法廷闘争に打って出る構えを示唆した。

じつは郵便投票だけでなく期日前投票についても各地で問題が起きていた。国家安全保障局の情報筋によると、少なくとも353の地区において登録有権者数が人口よりも多く、すでに死亡したはずの人間や不法移民などを使って票が水増しされた可能性が高いという。

こうして郵便投票を含めて投票日前に投票を済ませた人の数は過去最高の1億10万人を超え、前回の大統領選挙の投票総数の約72%にも及んだ。

そして、11月3日の投票日がやってきた。

開票の結果、勝利したのは――バイデンだった。

トランプを裏切った最高裁判所長官

トランプが勝つという私の予想は裏切られたことになったが、私の見解は今でも変わらない。つまり、バイデンが勝ったのは不正選挙によるものであり、実際に勝ったのはトランプだということだ。最終的なトランプの得票数は、近年の大統領選挙では最も多かった2008年のバラク・オバマが得た票を上回って7000万票を超えたが、バイデンはこれ以上の票を得たことで勝利とされた。実際には、バイデンの票は不正によるものだと思う。

しかし、トランプが郵便投票の不正を早くから訴え、連邦最高裁判所の判事にエイミー・コニー・バレットを送り込んだにもかかわらず、バイデン勝利の結果をくつがえすことができなかった。その背景にはトランプ陣営に大きな誤算があったからに他ならない。

アメリカ政府の関係筋からの情報によると、トランプ陣営は今回の大統領選挙に際してハザールマフィアに対する大きな罠を仕掛けていたという。郵便投票を含めて不正な票を暴くために、合法的な票には肉眼では見えない「透かし」のような細工を施していたのだ。だからこそ、ハザールマフィアに選挙泥棒の工作をやりたい放題にさせ、選挙後にその不正を暴き、腐敗したハザールマフィアの権力ネットワークを根こそぎ摘発するはずだった。

案の定、大統領選挙の開票が始まった当日の11月3日にはトランプが圧勝するかのように見えたが、その夜、国民が寝ている間に不正な票が持ち込まれ、戦況は一気にバイデン優勢へと転じた。トランプは待っていましたとばかりに不正選挙を訴えた。

ところが、トランプ陣営に思わぬ落とし穴が待っていた。自分たちの仲間だと思っていた連邦最高裁判所長官のジョン・ロバーツが寝返り、ハザールマフィア側についたのだ。

ＣＩＡ筋によると、ロバーツはハザールマフィアに児童への性的虐待の証拠を握られ、脅迫されたという。さらにロバーツ以外にもキーとなる人物がハザールマフィアに懐柔された。そのことによって、トランプ陣営が不正選挙として訴えた裁判はすべて否決され、それこそ不正があったかどうかを審理する以前に、不正選挙を訴える資格がないという門前払いを受けることになった。これらによって、バイデンの勝利が確実なものとなっていったのだ。

さらにハザールマフィアに支配されている大手マスコミもバイデン勝利を印象づけるような報道をして、後押しを行った。同じようにハザールマフィア側のインターネット企業もＳＮＳなどの検閲を強化し、不正選挙があったというような投稿の閲覧を制限する措置を取り、トランプが次期大統領に就任するといった内容の投稿に対しては「次期大統領にはジョー・バイデンが選出された。２０２１年１月20日に第46代アメリカ大統領に就任するのはバイデンだ」とわざわざ断り書きを入れるような措置まで行った。

日本のマスコミもこれらの動きに追随して、バイデンが新大統領になるのは当然のような論調になった。しかし、日本ではあまり報道されていないが、12月16日、アメリカの選挙監視団が大手プロパガンダ企業であるフェイスブックの最高経営責任者マーク・ザッカーバーグについて「選挙泥棒を目的に５億ドルものダークマネーをばらまいた」と告発した。

選挙監視団によると、ザッカーバーグは五つの財団から資金提供を受ける10の非営利団体を経由して州の役人や選挙管理委員などに賄賂と資金をばらまいたとされる。そのお金を使って選挙関連機器メーカー・ドミニオンの集計機器などが購入され、投票がバイデンに有利に操作されたというのだ。

ザッカーバーグはハザールマフィアの中心的人物だったデイヴィット・ロックフェラーの孫であるといわれており、フェイスブックによるプロパガンダとダークマネーを使ってハザールマフィアにとって都合のいいバイデンを大統領の座に据えようとしたのだ。

とはいえ、こうした告発もなかなか上手く進んでいないのが現状だ。バイデンを勝利させるために投票集計機を不正操作したと名指しされたドミニオンなどは、逆に名誉を毀損されたとして、ただちにコロラド州の連邦地裁に提訴している。

バイデンはＡＩで管理されるＣＧ大統領

２０２０年1月20日の大統領就任式の後でもトランプが大統領の座に居座り続ける可能性がまったくないとはいえないが、２０２０年12月末日の時点では、次期大統領となるのはバイデンに間違いないだろうと報道されている。これはこれまで述べてきたとおりハザールマフィアの逆襲ともいえる悪あがきの大きな成果である。

ただし、これをもってハザールマフィアの勝利といえるのかどうかは、はなはだ疑問だ。なぜなら冒頭でも述べたとおり、バイデンが大統領になったところで、アメリカが国として倒産している事実は変えようがなく、バイデンがやるべきことは、倒産したアメリカの財務処理でしかないからだ。

そもそもバイデン自身が、すでに影武者に置き換えられているという情報もある。

もともと認知症の症状があるバイデンをそのまま表舞台に出すのは不都合があると考え、選挙期間中にはなるべく人前に出すことを避け、リモート映像もCGで合成されたバイデンだった可能性が高いと先に述べた。選挙後でもその事情は変わっておらず、ハザールマフィアの傀儡（かいらい）として影武者やCGで合成された映像が国民に向かって話しているだけだという。このまま1月20日の就任式が終わって正式にバイデンが大統領になれば、AI（人工知能）が管理する初めてのCG大統領となるだろうという皮肉な意見をいう人もいるほどだ。

とはいえ、ハザールマフィアに対抗している改革派がこのまま黙っているわけがない。

その筆頭がアメリカ軍の中の良識派と呼ばれている勢力だろう。2016年の大統領選挙でトランプを当選させた裏には彼ら良識派の支援があったからだと先に述べたが、トランプが大統領に就任すると、彼らはトランプと衝突し、政権と距離を取るようになっていき、今回の大統領選挙でもトランプ支持を打ち出しはしなかった。かといって、バイデンを支持していたわけでもない。それどころか、トランプ以上に拒否反応を示していた。

そんなアメリカ軍の良識派の不安は早くも現実のものになった。11月10日に発表されたバイデンの政権移行チームの顔ぶれを見てみると、その3分の1が大手武器メーカーから資金提供を受けているタカ派のシンクタンク出身者で占められている。これは、ようするに「海外からのアメリカ軍撤退」というトランプの政策でビジネスに支障をきたした軍事産業がバイデンを囲い込み、自分たちの商売に有利な環境を整えようとしていることの表れである。

じつはアメリカは、世界各国にアメリカ軍を駐留させるだけの国力がすでになくなっている。このことは第6章で詳しく述べるが、そのためにトランプは世界各国からアメリカ軍を撤退させようとしてきた。しかし、このような動きに対して軍事産業をはじめとするハザールマフィアは危機感を抱いた。それゆえにハザールマフィアは今回の大統領選挙でバイデンを応援し、政権移行チームに名を連ねるようになったのだ。

このようなハザールマフィアの巻き返しに対して、アメリカ軍の良識派はバイデン新政権を牽制するような動きも見せ始めている。11月9日、マーク・エスパー国防長官の解任が発表されると、11月11日までに国防省の政策、諜報機関、国防長官のスタッフなどを監督する高官がすべて更迭された。粛清された人物らに共通しているのは大手企業の出身者であるということだが、それはつまり、ハザールマフィアの息のかかった連中ということだ。

さらに私の情報源によると、アメリカ軍は大統領選挙におけるバイデン陣営の不正の証拠を山ほど握っているが、すぐに表沙汰にしないのは、誰が味方で誰が敵かを見極めるためだという。最高裁判所長官のジョン・ロバーツがハザールマフィア側に寝返ったように、アメリカ軍は静観することで敵をあぶり出してから一気に粛正するつもりだというのだ。

しかも、これまでハザールマフィアの手先であるＣＩＡとの関係も打ち切ったという情報も入ってきている。当局筋の情報によると、ＣＩＡのジーナ・ハスペル長官がアメリカ軍に連行され、ハザールマフィアとの密約や関係書類を、司法取引を持ちかけられて手渡したが、それでも処刑されたという。彼女の他にもＣＩＡ内のハザールマフィアに関係した人間が次々に消えているらしい。

その他、ペンタゴン筋の情報によれば、すでにアメリカ軍はアメリカ国内での動きを活発化させているという。早ければ２０２１年1月20日の新大統領就任式直後から表立った行動に出るという情報もあり、最終的にはアメリカ政界の闇を浄化し、バイデンの裏にいるハザールマフィアを打倒することは確実のようだ。

その場合、もはやバイデンが大統領の座にいることはできなくなり、アメリカ合衆国自体が新しい政治体制に生まれ変わる可能性も高い。そうなれば、バイデンはアメリカの最後の大統領ということになる。アメリカ軍はその準備に向けて着々と動きだしているのだ。

粛清されるバイデン「アメリカはどうなるのか?」

バイデンが最後のアメリカ大統領として粛正されるか追放された場合、その後のアメリカはどうなるだろうか。

アメリカ合衆国がすでに国として破産している以上、これまでどおりの体制を維持することは不可能となり、これまで積み上げられてきた膨大な借金を帳消しにし、資産を再分配させる措置がまずは必要となるだろう。その上でアメリカは、1991年にソビエト連邦が崩壊したときと同じように複数の国家に分裂するか、または、まったく新しい国に生まれ変わるだろう。新しい国になる場合でも、カナダと合体して北アメリカ合衆国になるか、さらに中南米の諸国と合体して南北アメリカ大陸をまたぐ巨大国家になることも可能性として考えられる。

しかし、何度もいうようだが、ハザールマフィアがそう簡単にアメリカの利権を手放すとは考えにくい。

ハザールマフィアは今回の大統領選挙を見越してバイデンを大統領にする条件として、日本や朝鮮半島、ＡＳＥＡＮ諸国の支配権を中国側に渡そうと動いていた。

すでにハザールマフィアが中国と手を結んだという情報もある。というのも、第4章で詳しく説明するが、アメリカは２０２０年2月に2度目の不渡りを出したために、代金を回収できない中国をはじめとした世界各国はアメリカへの物流を止めていた。それなのになぜか8月からアメリカへの物流が再開されるようになったのだ。これは中国がハザールマフィアの提示した条件を承諾したために物流を再開させたのだとアジアの結社筋が語っている。つまり、中国はハザールマフィアが支配するアメリカを延命するために手を貸したのだ。

さらに大統領選挙が終わり、バイデンの勝利がハザールマフィア傘下の大手マスコミによって大きく喧伝されようとしていた11月15日、第４回東アジア地域包括的経済連携（ＲＣＥＰ）首脳会合がオンライン形式で開催され、交渉国のうちインドを除く15カ国（日本、中国、韓国、ＡＳＥＡＮ10カ国、オーストラリア、ニュージーランド）がＲＣＥＰ協定に署名した。これはまさに、日本をはじめとするこれらの国々の支配権をハザールマフィアが中国に売り渡した結果だと見られている。この協定によって、日本や各国の経済が実質的に中国経済に組み込まれることになるのは明らかだからだ。

しかも、アジアの結社筋の情報によると、バイデンが大統領に就任して数週間後に彼を殺害し、副大統領のカマラ・ハリスを中国の傀儡大統領として中国に差し出すという提案をハザールマフィアが中国側にしているともいう。これが事実ならば、まさに衝撃的だ。

バイデンが認知症的な言動を繰り返していることは先に述べたが、CIA筋の情報によると、そのような状況をハザールマフィアが黙認しているのは、認知症を理由にしていつでもバイデンを大統領の座から引き下ろす口実にするためだという。

しかし、何度もいうようだが、ハザールマフィアの延命を改革派グループが黙って見過ごすわけがない。アメリカ軍のOBが大量に入団しているマルタ騎士団などの情報によると、欧米の軍の最高峰に君臨する騎士団の代表は、ハザールマフィアを排除した後、最終的にはアメリカとカナダを合体して「北アメリカ合衆国（United States of North America）」を誕生させ、その初代大統領に米海軍の退役軍人で元CIA捜査官のロバート・デイヴィッド・スティールを据えようと考えているという。これは私が先に紹介した欧米騎士団のアメリカ大使アンドリュー・ヘルムからの私への連絡に書かれていたことと符合している。ヘルムは、アジアの結社に対して、スティールを欧米側の交渉窓口にしたいと申し出ていたからだ。

いずれにせよ、欧米の諜報機関や結社筋などを含めた改革派グループの一致した意見は、「アメリカには最終的にトランプでもバイデンでもない別の指導者が必要だ」ということのようだ。

そうなると1月20日の新大統領就任式が終わった後のアメリカは混乱が続くことは間違い

ない。先に述べたように、ヘルムが欧米騎士団からの和解を申し込んだとき、アジアの結社筋の返事は、「年明け来年の3月以降ならば交渉を考慮しても良い」というものだ。バイデンが1月20日にすんなりと大統領に就任しても、3月を待たずに何らかの動きが出ることも予想される。そもそもアジアの結社たちの考えは、ハザールマフィアを排除した後にゆるやかな世界連邦を樹立しようというものだ。まだまだ、ひと波乱もふた波乱もあることだろう。

どちらにせよ、アメリカ大統領選挙が終わった今、ハザールマフィアによってでっち上げられた新型コロナウイルスのパンデミック騒動を含め、世界は「世界の今後」をめぐって、新しい戦いに突入したことだけは間違いない。ハザールマフィアによってつくり出された新型コロナウイルスとパンデミック騒動については、次章で詳しく述べていくことにする。

第2章

生物兵器「新型コロナ」と仕組まれたパンデミック

コロナパニックが世界経済を破壊

新型コロナは人工的に製造された「生物兵器」

現在の世界情勢は新型コロナウイルスを抜きには語れない。それほどのインパクトを世界中に与え、いまだに終息する気配さえ見せていない。

発端は中国の武漢だった。中国湖北省の省都である武漢市は1000万人を超える人口を抱える中国有数の工業都市であり、交通の要衝でもある。2019年12月、この武漢市を中心に新型コロナウイルスの感染者が見つかり、2020年1月9日に感染者の死亡が初めて確認された。以来、ロックダウンや出入国禁止などの感染防止策を各国が施行したにもかかわらず、あっという間に感染者が全世界に広まり、世界保健機構（WHO）は2020年10月5日時点で世界の10人に1人が新型コロナウイルスに感染した可能性があるとの見方を示した。つまり、全世界での感染者数は7億8000万人に上るという。

新型コロナウイルスは世界経済にも大打撃を与え、国際通貨基金（IMF）によると、2020年、世界のGDPの成長率は前年比で4・9％の減少で、あのリーマンショックを超えたばかりか、1930年代の世界恐慌以来、最悪の状態にまで落ち込んだ。2021年にはさらに5・4％の減少になるだろうと予想さえしているほどだ。

しかも新型コロナウイルスは私たちの生活様式さえ変えてしまった。消毒液による手洗いが励行(れいこう)され、外出するときはマスクを着用し、人と接するときはある程度の距離を取るソーシャルディスタンスを求められるようになった。

これほどまでに私たちの経済や生活に影響を与えることになった新型コロナウイルスだが、発生当初は、野生動物を売買している武漢市の「華南(かなん)海鮮市場」が感染源ではないかと疑われたりしていた。

しかし、「はじめに」でも述べたように、新型コロナウイルスはハザールマフィアたちにより製造され、ばらまかれた生物兵器である。

生物兵器であることは、新型コロナウイルスが世界中に感染拡大したことで各国の研究所がウイルスを分析した結果、早い段階で科学的に証明されていた。

まず2020年2月1日にインドのデリー大学の研究者が新型コロナウイルスには他のコロナウイルスには存在しない四つの特殊な組成配列があることを見つけ出した。しかも、それは自然界には通常存在しえない不自然なものだった。また、新型コロナウイルスにはエイズウイルスであるＨＩＶと一致するところがあるという。

このことは1983年にＨＩＶを発見し、2008年にノーベル生理学・医学賞を受賞したフランス人ウイルス学者のリュック・モンタニエ博士によっても裏付けられており、「Ｈ

IVの配列とマラリアの細菌の配列を有する新型コロナウイルスは実験室で人工的につくられたとしか説明のしようがない」と述べている。

さらに中国の研究チームによると、新型コロナウイルスは、2002年から2003年にかけて感染が拡大したSARS（重症急性呼吸器症候群）と同じ受容体（レセプター）を用いて人の肺細胞に侵入することが明らかになり、その受容体はアジア人男性の肺に非常に多く存在することが分かったという。これはそれだけアジア人男性に新型コロナウイルスが感染する確率が高いということであり、アジア人女性の2倍、白人や黒人の男性の5倍も感染しやすいことが推測されるという。

しかし、その後の感染拡大状況を見ると、東アジアより欧米の方が圧倒的に多い。これは当初はアジア人男性向けに開発されたものでも突然変異によって欧米人が感染しやすくなったからだと報告されているが、それよりも5Gによる影響が高いのではないかと推測されている。5Gと新型コロナウイルスの関係については後ほど詳しく述べていくことにする。

「ソロス財団」が武漢でウイルスを開発

5Gが関係しているとしても、新型コロナウイルスが当初、生物兵器として製造されたことは間違いない。それでは、ハザールマフィアのいったい誰がこの生物兵器を製造したのか。

２０２０年9月、アメリカに亡命中のイェン・リーモン（閻麗夢）博士が「新型コロナウイルスは武漢ウイルス研究所でつくられた。その科学的な証拠もあり、発表する予定だ」とイギリスのテレビ番組で発言し、実際にその証拠となる論文を発表した。イェン博士は香港大学でウイルスを研究していた専門家で、新型コロナウイルスの感染が確認された直後にWHOの専門家とともに極秘調査を進めていた人物だ。

しかし本当に注目すべきは、新型コロナウイルスを製造したと告発された武漢ウイルス研究所の近くにある「ウーシーアップテック」というバイオ研究所である。

その研究所の住所の番地はなんと「６６６」。悪魔崇拝者であるハザールマフィアたちが好んで用いる悪魔の数字と一致する。しかもこの研究所を所有しているのは、ハンガリー系ユダヤ人のジョージ・ソロスである。このことは彼が設立したソロス財団がアメリカの証券取引委員会に提出した資料で確認できる。ウーシーアップテックはソロス財団が実質的に支配していたのだ。

ソロスは、ハザールマフィアの一員であるロスチャイルド一族によって引き立てられたことで投資家として成功を収め、ロスチャイルド一族の番頭といわれてきた人物だ。アメリカ国防総省（ペンタゴン）の情報筋によると、彼はすでに死亡しているらしいが、ソロス財団は彼の遺志を継いだ子供たちによって運営されている。

しかもこのソロス財団は、エボラ出血熱の治療薬「レムデシビル」を開発した製薬会社のギリアドの株式も大量に取得している。このレムデシビルは新型コロナウイルスの特効薬として取り上げられたこともあり、そのことでギリアドの株価が爆上げした。おまけにギリアドはウーシーアップテックと業務提携までしている。

これはどういうことを意味するのか？

つまり、新型コロナウイルスを製造したのがソロス財団の支配するウーシーアップテックであり、その特効薬をつくっているのもソロス財団が支配するギリアドということである。まさにマッチポンプそのもの。アメリカ保健福祉省（ＨＨＳ）の広報担当に就任したマイケル・カプートが「ロスチャイルド一族とジョージ・ソロスが新型コロナウイルスのパンデミック（感染爆発）を悪用して自分たちの計画を都合よく推し進めようとしている」と名指しで批判したことが報道されたが、まさに言い当てている。

ビル・ゲイツがパンデミックを事前に予告

さらに、新型コロナウイルスを製造し、ばらまいたのはハザールマフィアだとする根拠の

武漢で新型コロナウイルスを製造したソロス財団

新型コロナを製造した疑いのある、中国・武漢のバイオ研究所「ウーシーアップテック」(写真下)。この研究所はロスチャイルド一族の「番頭」と称されるジョージ・ソロス（写真上）のソロス財団が所有している。さらに新型コロナの特効薬とされる「レムデシビル」を製造するギリアド社もソロス財団が大株主。まさにコロナで金儲けをするマッチポンプだ。

（出所）写真上／ Open Society Foundations HP より

一つに「サイン」がある。

悪魔を崇拝し、数千年も前から欧米を支配してきたハザールマフィアは、かなりの長期計画を立てて事件や騒動を準備する。しかも自己顕示欲なのか、事件や騒動を起こす前、もしくは最中にインサイダーにだけ分かるサインを所々に散りばめる傾向が強い。今回の新型コロナウイルス騒動に関してもサインがあった。

例えば、2012年のロンドンオリンピックのオープニングセレモニーで、新型コロナウイルスの型を模したような電飾の舞台が組まれ、無数の医療ベッドの周りで看護師や医者に扮したダンサーたちが踊っていた。しかも、そこに邪悪そうな病原体らしき黒い何かがうごめいている。まさに現在の新型コロナウイルス騒動を彷彿とさせる内容だった。

また、2012年、欧州連合（EU）の政策執行機関である欧州委員会が新型コロナウイルス騒動を連想させる内容の漫画本を作成し、EU幹部にだけ配布していた。その漫画本のタイトルはそのものずばりの「感染（Infected）」。物語は未来からやってきたヒーローが世界的に蔓延する感染症が発生することを教えるが、世界機構は結果的にその感染を食い止めることができずにパンデミックを引き起こしてしまうというもの。まさに現在の新型コロナウイルス騒動そのものといえる。

さらに新型コロナウイルスが発生する直前の2019年10月、マイクロソフトの創業者であるビル・ゲイツが会長を務める「ビル&メリンダ・ゲイツ財団」が、世界経済フォーラム(ダボス会議)とジョンズ・ホプキンス健康安全保障センターとの共同で「イベント201」というイベントを開催していたが、その中身は広域流行病が世界中に蔓延するというものであった。

しかもその中で行われた演習はより具体的で、3カ月で世界中に50万人を超える感染者が出ることを想定していた。最終的に世界で感染者が1000万人を超えるパンデミックが発生して各国政府は旅行などの人々の行き来を禁止し、その影響で世界経済および金融市場は大混乱に陥るというものだった。

この事態に対してビル&メリンダ・ゲイツ財団など世界の機構や大企業がどうやって対処すればいいのか、このイベントで話し合われた。そして、この演習が行われた6週間後に新型コロナウイルスが発生した。まさに新型コロナウイルスを予言しているとしか思えない。いや、これこそがハザールマフィアの自己顕示欲であり、「サイン」だったのだ。

というのもビル・ゲイツは今や巨大IT企業となったマイクロソフトを創設し、巨額の富を築いて、現在は慈善活動家として活躍しているように見えるが、彼の成功はハザールマフィアの一員であるロックフェラー勢力につながるワトソン一族(IBM創業者トーマス・J・ワトソンの一族)の力によるものだった。その当時、コンピュータ企業として世界を席巻していたＩＢＭは新たに個人向けコンピュータの開発に乗り出そうとしたが、そうなると独禁法に触れる恐れがあり、ダミー会社をつくる必要に迫られていた。そこでＩＢＭを支配していたロックフェラーが目を付けたのがゲイツであった。じつはマイクロソフトの技術はすべてＩＢＭから提供されたもので、ゲイツは単なるお飾りでしかなかった。

ゲイツはそのことに恩義を感じているだけでなく、今でもロックフェラーが属しているハザールマフィアの忠実な下僕（しもべ）となっている。その一方で「自分はロスチャイルドやブッシュらの仲間ではない」と、あたかもハザールマフィアの一員ではないかのような発言もしているが、それは世間の目をごまかしているのにすぎない。

ゲイツがハザールマフィアの忠実な下僕であることは、彼の過去の言動からも分かる。ハザールマフィアの根底にあるのは悪魔信仰だ。劣等な人種を間引くために世界の人口を削減し、自分たちエリートが支配者として君臨するという思想なのだが、ゲイツはこの悪魔信仰的な言動を繰り返してきた。

例えば、２０１０年にカリフォルニア州で開催された「ＴＥＤ２０１０会議」でゲイツは「ゼロへの革新」と題した演説の中で次のように述べている。

「何よりも人口が先だ。現在、世界の人口は68億人である。これから90億人まで増えようとしている。そんな今、我々が新しいワクチン、医療、生殖に関する衛生サービスに真剣に取り組めば、およそ10～15％は減らすことができるだろう」

つまり、新しいワクチンや医療、生殖に関する衛生サービスは人類を救うためではなく、人口を減らすために用いるべきだという恐ろしい主張をしているのだ。特にゲイツが会長を務める「ビル＆メリンダ・ゲイツ財団」はワクチン接種を積極的に支援していることで有名である。今回の新型コロナウイルスのパンデミックに関しても、ハザールマフィアたちによる恐ろしいワクチン計画が進行しているのだが、そのことについては後で詳しく述べることにする。

いずれにしても、ゲイツはこのようなハザールマフィアの危険な思想を持っているだけでなく、忠実な下僕として彼らの考えや計画を実行し、その「サイン」も発してきた。２０１８年４月27日に掲載されたワシントンポストのインタビューの中では次のように発言している。

「パンデミックにより世界中で数千万人もの死者が出る」

さらに信頼する情報筋から「２０２０年５月15日に米下院で可決された民主党の新型コロナウイルス対策案は14カ月も前に作成されていた」との情報が寄せられている。ドナルド・トランプ前大統領も２０２０年５月、今繰り広げられているパンデミック騒動を「人工的イベント（Artificial event）」だと記者会見の場で言い放った。情報筋によると、トランプは

2017年に大統領に就任する1週間ほど前にはすでに今回の「パンデミック計画」について報告を受けていたという。

しかも、新型コロナウイルスの発生とそれに続くパンデミック騒動が計画されたものであることを裏付けるかのように、今回の騒動が始まる少し前から私のサイトを含め、多くの独立系メディアが激しい攻撃を受けた事実があった。

例えば、騒動の直前に「ナチュラルニュース」というワクチン疑惑を暴露しているサイトが乗っ取られ、新たな記事を更新することができなくなった。

私の英語サイトも何者かに乗っ取られて、しばらく自分のサイトにログインできなくなっていた。現在はこれらのサイトは復活しているが、今から思えば、今回の新型コロナウイルスの発生やパンデミック騒動に関する情報をハザールマフィアが統制しようとしていた可能性が高い。やはり今回の新型コロナウイルスの騒動はかなり前から計画されていたのだ。

SARSやエボラ出血熱も生物兵器

ハザールマフィアによる生物兵器攻撃は何も今回の新型コロナウイルスが初めてではない。SARSやMERS（中東呼吸器症候群）、エイズ、エボラ出血熱などはすべて、ハザー

「新型コロナ感染拡大」を予言したビル・ゲイツ

ビル・ゲイツは、2015年の「TED2015会議」（写真下）で「アウトブレイク（爆発的感染）したとき、私たちは対応する準備ができていない」と講演。アウトブレイクする危険性があるとしてコロナウイルスを紹介した。さらに2010年「TED2010会議」（写真上）、2019年「イベント201」でも新型コロナ騒動の「サイン」を繰り返し出していた。

（出所）YouTubeより

ルマフィアによる生物兵器だった。

そもそも歴史的に見ても、侵略者たちはウイルスや細菌を生物兵器として巧妙に使ってきた。

例えば、14世紀の中世ヨーロッパで大流行したペストは、当時のヨーロッパの人口の3分の1に当たる3000万人を死に至らしめた。その発生は、侵略してきたモンゴル人がペストで死んだ遺体をトルコの町中に捨てたからだといわれている。

また、19世紀のアメリカ西部開拓時代には20年間で1000万人いた原住民であるインディアンの95%が亡くなっているが、その多くの死因は疫病だった。ヨーロッパから渡ってきた開拓者たちが疫病で死んだ患者の使っていた毛布をインディアンたちにプレゼントしたからだという。

人口削減を画策しているハザールマフィアも、これまでテロなどを起こして第3次世界大戦を誘発しようとしてきた。その一環で生物兵器を作成し、巧妙にばらまいてきたのは、核爆弾を製造するよりは安価で開発できるからだ。さらに生物兵器を使えば、空気感染や飛沫感染、昆虫媒介感染など、交通網が発達した現代においては特に相手に気づかれることなく爆発的にウイルスを広げることも可能だ。

しかもウイルスをばらまいてワクチンを売れば、それだけ儲けが莫大なものになるという収益の問題も絡んでいる。先に述べたソロス財団の例を持ち出すまでもなく、ハザールマフィアたちは生物兵器をビジネスの道具として使ってきた側面もあるのだ。また、ワクチンビジネスとは関係がないところでも、イギリスの情報機関ＭＩ６の情報筋によると、ハザールマフィアは今回の新型コロナウイルス騒動が発展する前に自分たちが保有する各国の国債を売りまくり、国債市場が暴落した後に買い戻すことで、利益を上げていたという。

世界５大医学誌の一つで医学界でも権威のあるイギリスの「ブリティッシュ・メディカル・ジャーナル」が２０１０年に報じた大手製薬会社とＷＨＯとの癒着問題も記憶に新しい。感染症が世界的に流行すると、ＷＨＯがパンデミックを宣言することになるが、そのパンデミックの判定に関わるアドバイザー数人が、大手製薬会社から賄賂（わいろ）を受け取っていたことが暴露されたのだ。パンデミックが宣言されれば、ワクチンが飛ぶように売れて、結果的に大手製薬会社が儲かることになる。もちろん、その大手製薬会社を管理下に置いているのはハザールマフィアに他ならない。

今回の新型コロナウイルスに関しても、ＷＨＯのトップであるテドロス・アダノム事務局長がなかなかパンデミックを宣言しないことに対して中国側との癒着を指摘された。彼の母国エチオピアは中国から多額の支援を受けているからだ。

とにかくテドロスには黒い噂が絶えない。彼がエチオピア政府で保健大臣を務めていたとき、ハザールマフィアの傀儡であるビル＆メリンダ・ゲイツ財団や、ビル・クリントン元大統領らが主宰するクリントン財団から資金を受け取り、自身の部族以外の人々に危険な避妊薬を強制的に投与するなどして250万人を死亡させたという報道もある。先にも述べたとおり、ビル・ゲイツはワクチンを使って人類を間引きしようとしている危険な人物であり、テドロスは保健大臣時代にまんまとその策略に乗っかってしまったのだ。

このようなハザールマフィアによる策略を暴露しようと訴訟が起きた例もある。

2009年4月、オーストリアの医療ジャーナリスト、ジェーン・バーガーマイスターがWHOや国連、製薬会社のバクスター、オーストリアのアヴィル・グリーン・ヒルズ・バイオテクノロジーなどを相手取って、「汚染された鳥インフルエンザワクチンを製造した」として刑事訴訟を起こした。日本では鳥インフルエンザに感染した人がいなかったので、この事実はあまり知られていないが、ハザールマフィアが支配するバクスターが開発した鳥インフルエンザのワクチンに、なんと鳥インフルエンザそのものを混入させていたことを告発したのだ。

しかし、残念ながらバーガーマイスターが暗殺されたことにより、その裁判はうやむやにされた。鳥インフルエンザ自体もハザールマフィアが研究開発したものである公算が高い。

ハザールマフィアが過去に製造し、ばらまいた生物兵器について若干触れておくと、

２００２年11月から２００３年7月にかけて中国の広東省や香港を中心に感染が拡大したSARSは、全世界で７７４人が死亡している。その致死率は9・6％と高いものだった。この生物兵器はコウモリ由来のコロナウイルスを母胎とし、東洋人特有の受容体に感染するよう改造されたもので、当時、躍進著しい中国を押さえ込むためにばらまかれたものだった。しかし、その事実に気づいた中国は逆にハザールマフィアとの戦いを決意するという皮肉な結果を招くことになった。

２０１２年に確認されたMERSは、ヒトコブラクダ由来のコロナウイルスで、イスラエルに敵対するアラブ人を抹殺するためにばらまかれたのだが、爆発的に感染したのは２０１５年の韓国で、死者数が27人に及んだ。全体での致死率は30％を超える。

エイズとエボラ出血熱は黒人種を標的にばらまかれた。先に述べたように、エイズを発症させるHIVウイルスと今回の新型コロナウイルスとで一致する配分構造があることが分かっている。エボラ出血熱にしてもそのワクチンを開発したのはロスチャイルド一族の番頭といわれているジョージ・ソロスが支配下に置く製薬会社であった。

これらの生物兵器はもともと特定の人種を狙って開発されたものであるが、そもそもグローバル化が進んだ世界で純粋な人種というのはなかなかありえない。何世紀にもわたる人々の交流で血は混じり合い、それこそアメリカの黒人にしても白人の血がなんらかの形で入り込んでいるのがほとんどだ。今回の新型コロナウイルスにしても当初はアジア男性を標的にして開発されたかもしれないが、感染者は人種に関係なく全世界に広がっている。ハザールマフィアが考えるほどに人種は純粋ではなく、そもそも人種に優劣はない。それでもある種の人たちを劣等人種と決め付けて排除しようとするのだから、ハザールマフィアの愚かさが分かろうというものだ。

ちなみに生物兵器は何も人間だけを対象にしているわけではない。2019年2月に中国で発生したアフリカ豚コレラはハザールマフィアがばらまいたものだが、その結果、中国は豚コレラの感染を防ぐために、同年9月にかけて中国国内の養豚場の豚を4割ほど殺処分にしている。中国の養豚は世界シェアの半分を占めており、中国の食料問題だけでなく中国経済にも大打撃を与えるために画策されたものだった。

このような事例を見ていくと、今回の新型コロナウイルスはハザールマフィアにとって何も特別な生物兵器ではないことが分かる。ただし、今回の新型コロナウイルスがこれまでの生物兵器と決定的に違うのは、その爆発的な感染力だといえる。しかし、この点についても冷静に見ていく必要がある。今回のパンデミック騒動そのものが、ハザールマフィアによって巧妙にでっち上げられたものであることが分かってきたからだ。その真相については後ほど詳しく述べることにする。

コロナ騒動の裏に「株式会社アメリカ」の倒産

今回の新型コロナウイルスの真相を語る前に、その背景となっている事情を説明しておく必要がある。なぜ、ハザールマフィアは新型コロナウイルスをばらまかなければならなかったのか？　結論からいえば、それほどまでにハザールマフィアは追いつめられていたからだった。その契機となったのは「株式会社アメリカの倒産」だ。

そして、その兆候としてあったのが「Ｐ３ロッジの誕生」だった。まず「Ｐ３ロッジの誕生」から説明していこう。Ｐ３ロッジはＰ３フリーメイソンともいい、Ｐ２フリーメイソンから派生した新たな結社のこと。今から約２００年前にイタリアのローマにフリーメイソンの下部組織としてＰ１フリーメイソンという結社が誕生し、それが約60年前にＰ２フリーメイソンとなり、２０２０年の初頭にＰ３ロッジに生まれ変わった。この新しいＰ３ロッジの最大の特徴はマフィアを排除したことだった。

これまでのＰ２フリーメイソンはマフィアを実行部隊として操り、カトリックの総本山であるバチカンを実質的に仕切っていた裏組織でもあった。ハザールマフィアとの関係も深いというよりは、その一員として活動し、犯罪や謀略に荷担して利益を得ていた。

1990年公開の映画『ゴッドファーザーPARTⅢ』では、バチカンの金融スキャンダルや、ローマ教皇ヨハネ・パウロ1世とバチカンの資金管理をしていた銀行家ロベルト・カルヴィの暗殺事件などが描かれているが、それらの事件に関与したマフィアを動かしていたのがP2フリーメイソンだった。

しかし、2013年に第266代ローマ教皇にフランシスコ1世が就任したことで流れが変わり、ついに2019年12月19日、突如、イタリア当局がマフィアの大量検挙に踏み切る。334人もの逮捕者を出して、国内のマフィアを一掃した。そして2020年になってP3ロッジが結成されたのだ。

このP3ロッジの結成はハザールマフィアと手を切るという宣言だとも解釈され、慌てたのはハザールマフィアたちだった。しかもP3ロッジが国際司法裁判所（ICJ）に新たな権限を与えたという情報が駆け巡ったことで、ハザールマフィアたちはいっそう追い込まれることになった。これまでハザールマフィアたちが行ってきた数々のテロや不正事件などが公になり、国際司法裁判所で裁かれることになれば有罪は免れないからだ。

さらに、その前提としてハザールマフィアたちを追い込んだのが「株式会社アメリカの倒産」だった。

アメリカはアメリカ合衆国という名前の国家ではあるが、実質的にアメリカを経営しているのはワシントンDCにある「株式会社アメリカ」である。もちろん、これを牛耳っているのはロスチャイルドやロックフェラーなどのハザールマフィアたち。アメリカ大統領は彼らに雇われた社長にすぎない。

どうしてアメリカが「株式会社アメリカ」に支配されるようになったのかは章を改めて説明するが、アメリカ合衆国＝株式会社アメリカは3兆ドルを超える財政赤字と40年以上にもわたって積み上げられてきた膨大な貿易赤字を抱え、今や倒産寸前。いや、実質的に倒産しているといってもいい状態に追い込まれている。そのためアメリカは、国債の償還などの借金の返済に窮し、それをごまかすためにさまざまな手を打ってきた。特にアメリカ国債の償還など、借金の対外支払い日は毎年9月末と1月末にやってくる。株式会社アメリカの雇われ社長であったトランプ前大統領もこの返済期日に合わせて積極的に動き回り、時には恫喝まがいの外交交渉で金を巻き上げようとしたりしてきた。

そして、それに合わせるようにハザールマフィアたちも暗躍してきた。これまで世界を驚かせるような事件や事故が9月か1月ごろに起こっているのはそのためなのだ。その最たる例は2001年の9月11日にアメリカで起こった同時多発テロである。

2020年1月に何があったのかといえば、中国での新型コロナウイルスの発生とそれに続く混乱だが、新型コロナウイルスがそこまで大きな騒動となる前の1月3日にはアメリカによるイランのカセム・ソレイマニ司令官の暗殺事件が起こっている。

　これはハザールマフィアの意を受けたアメリカ軍が行ったものだ。表向きには、トランプ前大統領はソレイマニ司令官がアメリカへのテロ攻撃を計画していたために自衛措置として暗殺を命令したと主張した。だが暗殺した真の理由は、アメリカとイランを戦争状態に導いて第3次世界大戦を勃発させようとするハザールマフィアの思惑であった。

　さらには、経済制裁が長びいて国内経済が破綻しつつあるイランが原油増産に踏み切り、石油の値段が暴落することを防ぐためだった。石油利権を牛耳っているハザールマフィアの利益を守るためでもあったのだ。

　しかし、最大の目的は、イランとの戦争状態を起こすことで、実質的に倒産しているアメリカの疲弊した経済状態から国民の目を逸らすためであり、さらにイランとの戦争状態を演出することで、1月末の対外支払いをごまかすためだった。

　幸いにも、ハザールマフィアが画策したアメリカとイランによる全面戦争への発展はなかった。第3次世界大戦を阻止してきたアメリカ軍の良識派や、ハザールマフィア体制から新体制への移行を目指している東西の王族と結社が、水面下で交渉を行った結果によるものとされる。とはいえ、倒産状態のアメリカが追い込まれている事実は変わらない。

　このような「P3ロッジの誕生」と「株式会社アメリカの倒産」によって窮地（きゅうち）に陥ったハ

ザールマフィアの背景があってこそ、新型コロナウイルスという生物兵器が投じられ、それに続いてパンデミック騒動が引き起こされたのだ。これら一連の騒動は、追いつめられたハザールマフィアが自分たちの権力を維持するための悪あがきであり、台頭しつつある新体制派に対する精一杯の抵抗であったのだ。

「5G電磁波」で武漢が攻撃された理由

アメリカは「中国の武漢から新型コロナウイルスが発生した」と中国を非難した。一方の中国は「アメリカこそが新型コロナウイルスを中国国内に持ち込んだ」と反論した。というのも2019年10月、武漢で世界軍人運動会が開催され、参加したアメリカ軍人選手団の5人が疾病に倒れて入院した事実があったからだ。この大会は東西冷戦後、旧東西陣営の交流の一環として1995年から4年ごとに世界各地で開催されているもので、今回が第7回目。中国は入院したその軍人たちが中国に新型コロナウイルスを持ち込んだと主張したのだ。

その真偽はともかくとして、なぜハザールマフィアが中国の武漢に生物兵器の新型コロナウイルスを投下したのか。そこにも意味があった。

武漢は1000万人を超える人口を抱える中国有数の工業都市だ。工業化によって深刻な大気汚染に悩まされていた。その影響で武漢には気管支炎を患っている市民が多く、新型コロナウイルスによって重症化しやすい条件が整っていた。

さらに重要なのは武漢が5Gの最前線都市だった点だ。5Gとは「第5世代移動通信システム」のことで、高速・大容量の通信が可能となる。日本でも2020年からサービスが開始されたが、そのネットワークは完成の途上にある。それに対して武漢は5G実験都市として2018年に5Gに必要な基地局が20基設置され、2020年度内には市内全体をカバーする5Gネットワークが完成する予定だった。

そして2020年を迎え、武漢市内に5800カ所の5G基地局が設置されて、目標である1万カ所の半分を超えたと発表された直後、新型コロナウイルスの騒動が始まった。

これは偶然だろうか。しかも武漢市では5G基地局の整備だけでなく、市民に5G端末を支給し、それと連携した人工衛星まで打ち上げて、本格的に5Gを運用しようとした、まさにそのときにパンデミックが始まったのだ。新型コロナウイルスは中国における5Gの展開を邪魔するためにばらまかれたのではないかという推理が働くのは当然のことだろう。

しかし、なぜそれほどまでに5Gを恐れる必要があるのか。じつは5Gの電磁波は極めてエネルギーが高く、GPSまでをも狂わせるといわれている。

GPSとは日本語でいうと「全地球測位システム」。携帯電話にも搭載されているのでご存じの読者も多いと思うが、衛星を使って自分や相手の位置を正確に割り出すことができるシステムである。ハイブリッド化した現在の軍事兵器のほとんどは、このＧＰＳを使って目標地点に正確にミサイルを撃ち込むことができるようになっている。それゆえに、もしもＧＰＳが作動しなかったり、狂ったりしたら、軍事兵器のほとんどは使い物にならなくなる。５Ｇの電磁波による攻撃を受けてＧＰＳに狂いが生じれば、それこそ核ミサイルも制御不能になってしまうのだ。

だからこそ、アメリカをはじめとする軍事大国は５Ｇの開発に躍起になっているのだが、中国が先に５Ｇを完成してしまうと、軍事的優位が保てなくなる。そこでハザールマフィアは、５Ｇの最前線都市である武漢に新型コロナウイルスという生物兵器を投下したと考えられる。

その一方で５Ｇの電磁波はＧＰＳだけでなく人体にも影響を与えるということが報告されてきた。それこそ2万６０００人以上の医師や科学者などの専門家たちが５Ｇによる健康被害を指摘し、人類にとって非常に危険なものであると警鐘を鳴らしてきた。欧米諸国では５Ｇの実験・導入を禁止、もしくは規制を強化する動きがあるほどだ。

実際に技術開発に携わっている技術者や科学者からも５Ｇの人体に与える悪影響についての告発が私のもとに届いている。これらの警鐘や告発をまとめてみると、人間の体内には微量の電気が流れており、そのことによって脳に信号が送られ、体内バランスを保つ働きがある。しかし、そこに5Gの電磁波によって刺激が加えられると、体内電気が狂ってしまい、人体に影響が出てしまうようだ。

つまり、5Gの最前線都市である武漢の市民たちは、すでに5Gの影響を受けて、健康に問題のある人が多かったことになる。それゆえに新型コロナウイルスがばらまかれると、爆発的に市内中に感染し、パンデミックを招く結果となった。

それに加えて、さらなる強力な5Gの電磁波を受けると、まさに新型コロナウイルスで重症化した患者とそっくりの症状が出ることも分かってきた。このことについては後で詳しく述べるが、簡単にいえば、強力な5Gの電磁波が人間の肺細胞を破壊し、肺炎に近い症状になるということだ。

じつは武漢に新型コロナウイルスをばらまいたハザールマフィアは、新型コロナウイルスだけではなく、電磁波攻撃を武漢に仕掛けた可能性がある。新型コロナウイルスの感染を拡大させると同時に、より死者を増やすために5Gによる電磁波攻撃を行ったのだ。その証拠に中国における新型コロナウイルスによる死者の数は、他の都市に比べて武漢が圧倒的に多い。もしも新型コロナウイルスだけで死亡するならば、武漢に隣接する地域でも同じような事態になっていなければならないのに、実際には武漢だけがピンポイントに大きな被害が出ているのだ。「中国の生物兵器研究所からウイルスが流失した」という情報が一時期、欧米のメディアを中心に盛んに発信されたが、これは5Gの電磁波攻撃を隠すためのカムフラージュだったともされる。

情報筋によると、5Gの電磁波攻撃を武漢に行ったのは、ハザールマフィアが支配する株式会社アメリカの雇われ社長であったトランプ前大統領が1月末の対外支払い期日を迎えるにあたって、中国側に譲歩を迫ったが断られたためだという。それは中国に対する攻撃であると同時に脅しでもあったのだが、それでも中国はアメリカの要求をはねのけ、現在でも降参はしていない。

新型コロナはインフルエンザよりも安全

生物兵器の新型コロナウイルスと5G電磁波による攻撃で中国は多数の死者を出した。2020年4月、当局は感染が最初に広がった武漢市での死者数を3869人と発表した。しかし、CIA筋の試算によると、実際には1ケタ多い3万人以上が犠牲になったという。CIAが現地に送り込んだエージェントによっても確認されており、死者が多すぎるためアパートのドアを封印してその中に遺体を放置していたという。他にも火葬場に処理しきれない遺体があふれ返っている惨状を衛星写真で見ることができる。

しかし、先に述べたとおり、中国は屈服しなかった。しかも、このコロナウイルス騒動は、ハザールマフィアが画策している第3次世界大戦の引き金にもならなかった。

そこで新たに企てたのが「パンデミックの演出」である。

じつは新型コロナウイルスは、当初予定されていたほどの感染力と致死率に及んでいなかった。特に致死率に関しては、開発時の段階では5割程度を目論んでいたようだが、実際にははるかに低いのだ。

2020年10月5日に発表されたWHOの推計によると、新型コロナウイルスの感染者数は世界全体で7億8000万人に上るが、そのうち死者数は106万人で、実際の致死率は0・14%ということになる。

アメリカのジョンズ・ホプキンス大学の集計でも2020年10月13日時点で世界全体での感染者数は3780万1975人、死者数は108万682人で、致死率は2・85%。この数字は同じ生物兵器だったSARSの9・6%、MERSの30%と比べてもケタ外れに低い。日本での感染者数も10月4日時点で約8万5000人、死者数は約1600人なので、その致死率は1・9%にも満たない。

しかも新型コロナウイルスで死亡した人は高齢者が多く、糖尿病などの基礎疾患のある人

新型コロナ感染拡大時の武漢では路上に死体が放置されていた

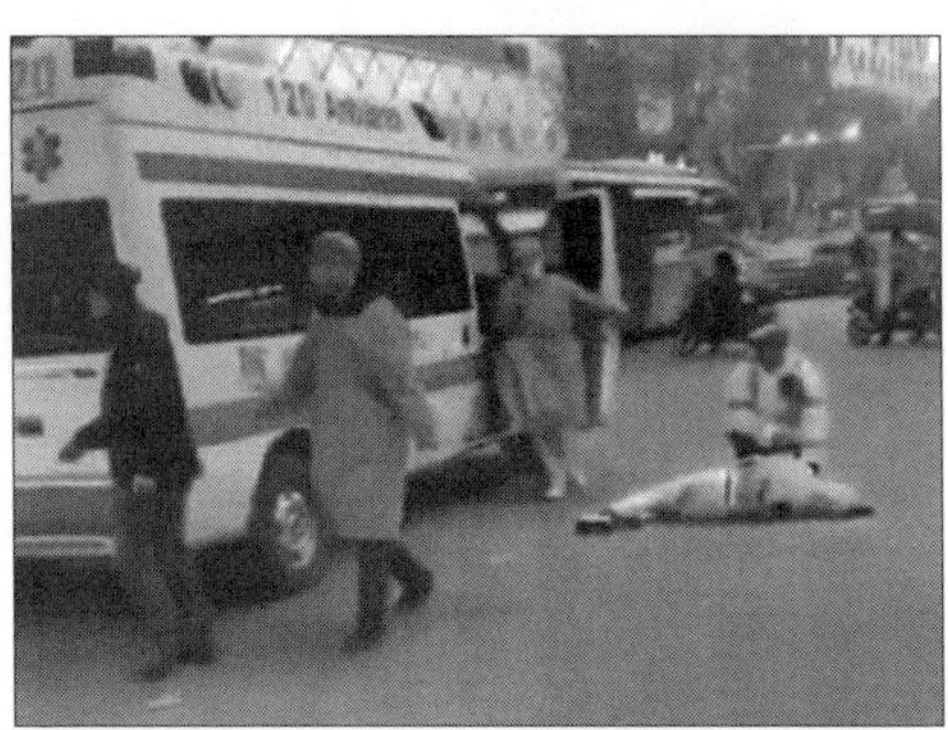

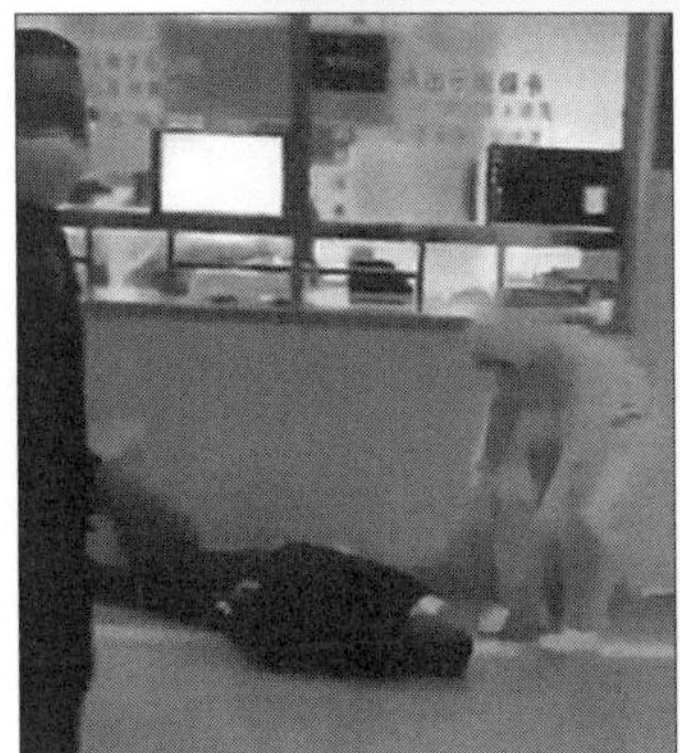

パンデミック発生時の武漢では、新型コロナや5G電磁波の影響により路上や病院などで卒倒する人が続出した。写真は防護服を着た医療従事者と警察が倒れた人を救護する様子。死亡者が路上にしばらく放置された後、衛生兵が死体を回収するケースもあった。地獄絵図と化した市街地の状況はSNSなどで拡散された。

（出所）Twitterより

がほとんどだということも分かっている。このように冷静に数字だけを見れば、治療薬もあり治療法も確立しているはずのインフルエンザの方がよほど危険だということが分かる。

例えば、２０１９年10月１日から２０２０年２月22日までにアメリカ全土のインフルエンザ感染者数は約３２００万人、死者数は１万８０００人に及ぶ。アメリカ疾病予防管理センター（ＣＤＣ）は21世紀になって最悪となりかねないと警告を出している。

日本の場合を見ても、厚生労働省の発表によれば例年のインフルエンザの国内での感染者数は推定で約１０００万人いるといわれ、そのうちの死者数は約１万人と推計されている。これらの数字を見れば、インフルエンザと比較して新型コロナウイルスが飛び抜けて危険な病気とはいえないだろう。

２０２０年２月、高級クルーズ船ダイヤモンド・プリンセス号で新型コロナウイルスの感染者が確認され、横浜港に隔離処置となった騒動があった。そのとき、日本政府は３７１１人もの乗客乗員を収容する病院施設がないという理由でクルーズ船を港内に停泊させた。

じつは、その措置は新型コロナウイルスのデータを収集するためだったといわれている。本来は感染者と無感染者とを分けるゾーニング（隔離処置）をすべきなのに、船内をわざとオールフリー化して濃厚接触をさせたのだ。ゾーニングをしていなかったことは船に乗り込んだ大学教授が告発し、ニュースにもなっているので覚えている読者の方も多いだろう。

そして、そうしたデータ収集の指示を出したのは旧日本軍の生物兵器研究機関の流れを汲む国立感染症研究所だった（このとき、先に説明した5Gの実験もするため、船内に5Gを稼働させていたという情報もある）。このクルーズ船における実験の結果、明らかになったデータは3771人の乗客乗員のうち感染者は712人で、死者は13人。つまり、感染者の致死率は1・8％だったということだ。この数字は2020年10月の時点での日本での新型コロナウイルスの致死率とほぼ一致している。新型コロナウイルスの発生当時、安倍政権の対策が生ぬるいと批判があがったが、じつは安倍政権はこれらのデータをもとに新型コロナウイルスはそれほど危険なものではないということを知っていたからだと思われる。

いずれにしても、新型コロナウイルスはインフルエンザほど危険ではない。つまり、ハザールマフィアが開発してばらまいた新型コロナウイルスという生物兵器自体は、結局のところ一般的な風邪のウイルスくらいの危険性しかなかったのだ。それどころか、私たちが普通に生きていても、病気になったり、老衰が進んだり、交通事故に遭ったりなどして人は常にさまざまな要因で死に至る可能性がある。その確率を世界人類の平均寿命をもとに計算すると、1人当たりの年間の死亡率は平均1・38％。新型コロナウイルスでの死亡率は0・14％なのだから、その10の1ほどの死亡確率しかない新型コロナウイルスが現在のような世界規模のパニックを引き起こす理由には本来なりえないのだ。

しかし、それにもかかわらず、私たちは新型コロナウイルスを恐れ、特に感染が拡大した当初はパニックのような精神状態にまで追い込まれてしまった。

じつはそれこそがハザールマフィアの狙いであり、私たちの精神状態が錯乱するように誘導していくことで、私たちの目を現実から逸らそうとしたのだ。

「コロナパニック」をあおり立てた大手マスコミ

インフルエンザよりもはるかに低い致死率にもかかわらず、私たちが恐怖にとらわれたのは、大手マスコミの力が大きかった。テレビや新聞、ネットニュースなどで新型コロナウイルスの危険性を声高(こわだか)に訴え、恐怖をあおりにあおったからだ。

日本でも朝から晩までそのような新型コロナウイルスの報道がなされたせいで、「コロナうつ」なる言葉まで生まれた。自分が感染してしまうのではないかという極端な不安と、緊急事態宣言を受けて不要不急の外出自粛を求められたフラストレーションが重なり、うつ病に近い症状が出る人が現れたのだ。

さらに自粛要請に応じない個人や商店に対して私的に取り締まり、攻撃を加える「自粛警察」なるものまでが出現した。これもまた新型コロナウイルスに対する恐怖が狂った正義感を生んでしまった結果だった。そしてＳＮＳの発達によって、新型コロナウイルスの恐怖はあっという間に世界中に広まっていった。

しかし、これらはすべて大手マスコミによる意図的なものだった。特に欧米のマスコミは新型コロナウイルスの感染拡大とともに「パンデミックが発生した。大勢の人が死ぬ」と喧伝しながら新型コロナウイルスが発生した中国を攻撃し、「新型コロナウイルスは中国のバイオ研究施設が開発し、漏洩させたものだ」というストーリーまで広めようとした。これに対して中国も「アメリカこそが世界軍人運動会を利用して新型コロナウイルスを中国に持ち込んだ」と反論したのは当然のことだ。

大手マスコミは、もちろんハザールマフィアの支配下にある。例えばアメリカを見てみても、ワーナー・メディアをはじめとして、マスメディアの９割を占める六つのメディアグループは、すべてロックフェラーなどのハザールマフィアの支配下にある。ハザールマフィアは自分たちの手下である大手マスコミを使って世界的な規模でパンデミックの恐怖をあおり立てていった。それに無責任なプロパガンダ企業である中小のマスコミやＳＮＳが追随していったというのが、今回のパンデミック騒動の実態である。

そのせいもあって世界の各都市は、ロックダウン（都市封鎖）というまるで戒厳令のような措置を取らざるをえなくなっていった。しかし、現場の医師や医療関係者たちは早い段階からパンデミックなど起きてはいないという内部告発を多数発信していた。

私の姉は疫病専門の医師で、カナダの病院で院長をしているのだが、彼女も「新型コロナウイルスは軽い風邪のウイルスと同じようなものなので、戒厳令のような大袈裟なロックダウンをする必要はない」といち早く連絡をくれた1人だった。

2020年3月にニューヨークがロックダウンしたときも、実際に現地に足を運んで取材したジャーナリストのアレックス・ベンソンは次のようなコメントをしている。

「病院は空なのに、どうして無期限の都市封鎖をしているのか？」

しかもアメリカの3大ネットワークの一つであるCBSテレビが流したニューヨークの混乱した病院の映像は、イタリアの病院のものだったことが発覚している。そのイタリアの映像自体も捏造されたものだが、大手マスコミはパンデミック騒動を演出するために、このようなデタラメな報道を垂れ流していたのだ。

さらにパンデミックをつくり上げるために死者数を捏造し、水増しして多く見せようとしている事実も分かってきた。

ミネソタ州の共和党上院議員であり医師のスコット・ジェンセン博士が2020年4月、地元テレビ局のインタビューで「政府機関の保健福祉省から、コロナウイルスの検査をしていない肺炎患者が亡くなった場合も死因を新型コロナウイルスと死亡診断書に記入するよう指導する7ページの文書を受け取った」と証言し、その文章を公表したのだ。

そもそもアメリカでは新型コロナウイルスのことを「ＣＯＶＩＤ-19」と呼んでいたが、今では単に「ＣＯＶＩＤ」と呼ぶようになっている。「ＣＯＶＩＤ」とは本来はコロナウイルスのことで一般的な風邪のウイルスを意味していた。今や通常の風邪や肺炎を含めた幅広い死因を新型コロナウイルスのせいにしてパンデミックの統計に含めているのだ。

統計を見ても２０２０年に入って、特に3月以降の肺炎によるアメリカの死者数が不可解なほど例年を大きく下回っていることが分かる。これは、２０２０年に入ってからの肺炎の死者数が新型コロナウイルスの死亡統計に入れられているからだと見るのが自然だろう。

しかも日本のように国民皆保険制度のないアメリカでは、保険に加入できない貧困層は、治療費や入院料を払うことができないので、普通の風邪で肺炎にかかっても診察自体を受けない傾向にあり、呆気ないほどすぐに亡くなってしまう。そんな人たちまで新型コロナウイルスで死亡したとカウントされてきたのだ。

ようやくアメリカ疾病予防管理センターも最近になって「発表した新型コロナウイルス感染者数のデータは間違っていた」と認め、イギリスやアメリカの政府当局は「新型コロナウイルスを死因とした死者の95%以上が別の要因によるものだった」と説明するようになってきた。ホワイトハウス感染症対策チームのアンソニー・ファウチ博士も新型コロナウイルスの実際の死亡率は「0・2%未満」との見解をSNS上に発信したほどだった。

しかし、ハザールマフィアの恐ろしいところは、新型コロナウイルスの自然感染だけでは予想したほど死者が出なかったため、アメリカ一般市民に直接ウイルスをばらまいていたということだ。信頼する情報筋によると、2020年2月にアメリカ疾病予防管理センターが各州に配布した新型コロナウイルスの検査キットに新型コロナウイルスが付着していたという。つまり、検査を受けた43万人ものアメリカ人が鼻の中に新型コロナウイルスの付着した綿棒を入れていたのだ。

しかし、そこまでしても劇的に死亡率が上がるようなことはなかった。何度もいうようだが、新型コロナウイルスはそこまでの劇毒ではなかったからだ。実際に亡くなった人の多くは高齢者で、もともと持病のある人や免疫力が低下していた人たちだった。今回のパンデミック騒動の本質は、別の要因で亡くなった人を新型コロナウイルスに感染して死亡したとでっち上げ、騒ぎを拡大させたことにあったのだ。

コロナで経済を崩壊させて「独裁支配体制」へ

新型コロナウイルスによるパンデミックはでっち上げられたものだったが、一度でも新型コロナウイルスの恐怖を植え付けられた私たちは、なかなかその恐怖心から抜け出すことができないでいる。世界経済が回復しないのも新型コロナウイルスを恐れる心理が働いて、人と接触するような経済活動を控える傾向が強いからだ。世界経済の力を表す世界GDPの成長率が1930年代の世界恐慌以来の最悪の状態にまで落ち込んだことは先に述べた。

そういった意味では、パンデミックを捏造したハザールマフィアの狙いは成功したといえる。彼らがパンデミック騒動を起こした狙いの一つは、経済崩壊を引き起こしてスターリン式の計画共産主義的な中央管理・統制システムへ世界を移行させることにある。少なくとも今回のパンデミック騒動で世界経済は大きなダメージを受け、金融市場と貿易にも大きな影響を与えることになったのは確かだ。

ハザールマフィアが経済を崩壊させたい理由の一つには金利の上昇もある。欧米の景気が少しでも上向いて国債などの債券の金利が上がれば、欧米の中央銀行と金融市場を支配しているハザールマフィアたちが支払わなければならない利子が増え、その利子の支払いができなくなってしまう可能性が出てくるからだ。

さらに彼らが経済を崩壊させたい二つ目の理由は、不況によって多くの企業や銀行を倒産させ、それらを二束三文で買い漁(あさ)って権限を強化させたいことにある。実際に今回のパンデミック騒動で世界中に失業者があふれ、企業の倒産も急増している。ハザールマフィアは中小企業を倒産させて自分たちの支配下にある大手企業だけが残るように仕向けたのだ。

生き残った中小企業にはハザールマフィアの息がかかった政府から給付金などの支援を与えて、管理下に置きたいと考えている。つまり、ハザールマフィアたちは今回のパンデミック騒動を利用して独裁支配を完全に確立したいのだ。それこそが「スターリン式の計画共産主義的な中央管理・統制システム」への移行であり、現代のファシズムといってもいいだろう。

また先にも述べたが、ハザールマフィアが新型コロナウイルスによるパンデミックを捏造した最大の理由はアメリカの倒産をごまかすためだった。アメリカは膨大な財政赤字と貿易赤字を抱え、国債などの借金を返せない状態に陥っていることは明らかである。アメリカが新型コロナウイルスに加えて5Gによる電磁波攻撃を武漢に行ったのも、1月末の対外支払い期日を迎えるにあたって中国に譲歩を迫ったが断られたためだった。

アメリカの倒産については第4章でさらに詳しく述べるとして、アメリカが2020年1月末に迎えた対外支払い期日までにすべての支払いができずに1度目の不渡りを出し、2月半ばまで支払いが延期されたものの、結局2度目の不渡りを出したことは確かなようだ。

その証拠に、2020年の3月時点でアメリカの港にコンテナがほとんど積まれていなかった。アメリカの物流が止まっていたのだ。それに伴いアメリカのスーパーでは日用品から食料品まで品不足が深刻化したが、さすがに「アメリカ政府が不渡りを起こしたので、輸入が止まりました」とは言えないので、トランプ政権は「新型コロナウイルス騒動で中国経済が止まっているから」と苦しい言い訳を続けるしかなかった。

株式会社アメリカを所有するハザールマフィアたちは、なんとか延命資金を得るための時間稼ぎと世界への脅迫として新型コロナウイルスを利用するしかなかったのだ。

そして、アメリカの倒産を隠すためにアメリカは新型コロナウイルスの感染拡大を中国のせいにして国際的に孤立させ、中国経済を崩壊に導こうとした。トランプ前大統領は新型コロナウイルスをわざと「中国ウイルス」と言い換え、新型コロナウイルスは中国の武漢市にある研究所から流出したものだと証拠を示すことなく吹聴しさえした。それに呼応するように大手マスコミも中国攻撃を繰り返すようになり、さらにＳＮＳによってフェイクニュースが世界中に拡散していき、中国の封じ込めの動きを加速させていった。

しかし、それらはすべてアメリカの倒産をごまかすために意図的につくり上げられていったニセのストーリーだったのだ。

それにもかかわらず、ハザールマフィアの管理下にある大手マスコミは、いまだに「今の経済危機はパンデミックのせいである」というプロパガンダを懸命にまき散らしているのが実状だ。そんなまやかしを使って「パンデミックの第2波、第3波」のシナリオを発動し、引き続きアメリカの倒産をごまかし続けるつもりなのだろう。現に日本をはじめとして世界は今、新型コロナウイルス感染拡大の第3波に襲われていると盛んに報じられている。

コロナに見せかけて5G電磁波で殺人工作

ハザールマフィアは自分たちの延命と権力を維持するために世界経済を崩壊させると同時に、アメリカの倒産をごまかすために新型コロナウイルスのパンデミック騒動を終わらせるつもりはない。アメリカが中国の武漢に新型コロナウイルスをばらまくと同時に5Gによる電磁波攻撃を行ったと先に説明したが、じつはハザールマフィアはさらに欧米や日本にも5Gを使った殺人工作を続けようとしていることが分かってきた。

それはまさに5G電磁波による人類の間引きといってもいい。悪魔信仰にとらわれたハザールマフィアは、増えすぎた人口を削減し、自分たちエリートが支配する世界を目指しているが、新型コロナウイルスは期待したほどの死亡率に達しなかった。そこで、新型コロナウイルスに見せかけて5Gによる大量殺人を行おうとしているのだ。

そもそも5Gは、医者や科学者たちだけでなく5Gを開発している技術者たちからもその危険性が訴えられてきた。それこそ専門家の中には「5Gの極めてエネルギーが高い電磁波は、武器といっても過言ではないレベルだ」とさえ口にする人もいるほどだ。もともと5G

は兵器としての使用を前提として開発が始まった技術でもあることは確かだ。

アメリカの軍事専門家によると、5Gは「エリア・ディナイアル・ウェポン（領域拒否兵器）」と呼ばれる、ある領域に敵が入れないようにするための武器としてすでに使用されている。つまり5Gを発信すると、催涙弾のようにその領域にいる人が身体的苦痛を感じてそこから抜け出したり、外からその領域に入ることができなくなったりするのだという。それほどまでに危険なものなのだ。

そのため、欧米諸国では5Gの実験・導入を禁止もしくは規制を強化する動きが加速している。電磁波の危険性についての議論も活発に行われ、欧州評議会も2011年に「電磁波の危険性に関する報告書」を作成して公表しているほどだ。

5Gの電波は従来の3Gや4Gとは大きく違い、人間の脳内で観察される周波数に極めて近いため、人体、特に脳に与える影響は甚大だ。しかも5Gの電磁波が強化されると人体の細胞が破壊され、それこそ新型コロナウイルスで重症化した病状と似たようなことが起こる。

私のもとには、2013年にノーベル生理学・医学賞を受賞したイェール大学のジェームズ・ロスマン教授らアメリカ人研究者3人の研究をベースに解説された「5Gの電磁波が新型コロナウイルスと酷似した症状を引き起こすメカニズム」についての報告がイギリス当局筋から寄せられている。

それによると、人体に強力な5Gの電磁波を受けると、薄い肺細胞が破壊され、細胞内の体液が流出することによって咳や鼻水が出て、肺炎に近い症状が表れるようになり、ついには死に至る。それはまさに新型コロナウイルスで重症化し、死に至る過程と同じなのだ。

さらにその報告書によると、190万件を超える新型コロナウイルスの発症事例を分析した結果、その96%が5Gの展開地域で発症し、4G以下の地域の症例率はわずか4%だという。しかも5G展開地域の死亡率は、そうではない地域の2倍以上だということが分かった。

この報告書ばかりでなく、新型コロナウイルスと5Gの関連性についての研究レポートは次々と発表されている。例えば、以下のレポートはインターネットで見ることもできる。

https://www.5gexposed.com/wp-content/uploads/2020/04/Study-of-correlation-coronavirus-5G-Bartomeu-Payeras-i-Cifre.pdf

ここに掲載されているマップを見れば、新型コロナウイルスの感染地域と5Gの展開地域が完全に一致していることが確認できよう。

また、イスラエルのテルアビブ大学イツハク・ベン教授がアメリカ、イギリス、スウェーデン、イタリア、イスラエル、スイス、フランス、ドイツ、スペインの新型コロナウイルス感染率を調査した結果によると、それらの国々の感染者数の推移パターンがまったく同一であることが分かった。例えば、イスラエルのように厳格な隔離政策を実施した国でも、スウェーデンのようにパブやカフェが通常営業しているような対策の緩い国でも同様に、それぞれの発生から6週目に感染がピークに達し、8週目までに急速に鎮静化しているのだ。

このことは何を意味するか。新型コロナウイルスの発生パターンは世界の地域によって数種類あることは確かだが、パンデミック騒動には単に新型コロナウイルスだけの問題ではない何か別の要因があるということだ。そうでなければ、世界各国での新型コロナウイルスの発生拡大と沈静化が隔離政策に関係なく一致するはずがない。そこには5Gが深く関係しているのだ。5Gは電磁波を調整することによって、殺人兵器にも変わることができるからだ。

日本でも2020年3月から5Gのサービスが始まったが、新型コロナウイルスの感染拡大が始まったのも3月以降だというのは偶然であろうか。私の知人である獣医師から驚くべき話を聞かされた。2020年5月、東京の杉並区にある善福寺公園で、突然、空から大量の鳥が落ちて死んでいるのが発見された。発見された鳩を3羽、回収して解剖したところ、3羽とも肺が破裂していたというのだ。その獣医師は「これまでに見たことがない現象だ」と話している。しかも死んだ鳥からはウイルスなどは検出できなかった。さらに彼によれば、善福寺公園の近くにある某大手通信会社の5G研究所と関係しているのではないかという。

このような不可解な出来事は世界各地で起こっている。オーストリアでも「突然、鳥が空から降ってきた」という同様の報告がなされている。

そもそも新型コロナウイルスの感染拡大がアメリカで始まろうとしていた当時、感染症対策の総合研究所であるアメリカ疾病予防管理センターが新型コロナウイルスのサンプルを持っていないと文書で認めていたことが判明している。つまり、新型コロナウイルス感染騒動で死者が出始めているのに、その原因とされていた新型コロナウイルス自体を手に入れることができなかったということなのだ。それは新型コロナウイルスといわれているが、その実体はじつは異なったものだったということではないのか。

しかし、大手のプロパガンダマスコミは一様に「5Gとパンデミックの関係は非科学的である」と断じている。新型コロナウイルスの騒動が拡大したイギリスで5Gの基地局が次々と焼き討ちされる事件があった。これは新型コロナウイルスと5Gの電磁波との関係を疑った一般市民のある意味、当然の行動だったが、イギリスのテレビ局BBCは「常軌を逸した陰謀論のせいだ」と報じただけだった。

しかし、ハザールマフィアが支配する大手マスコミの報道をそのまま鵜呑みにするわけにはいかない。新型コロナウイルスによる健康被害者や死者は、新型コロナウイルスが原因だとしてごまかされている可能性の方が高く、これまで述べてきたとおり、さまざまなデータから実際は5Gによるものではないかという疑惑が高まっているのだ

第3章

「アフターコロナ」の世界で起きる「新たな陰謀」

「半導体付きワクチン」と「人工世紀末」

ハザールマフィアは新型コロナウイルスに偽装した5G電磁波攻撃でパンデミックをつくり上げることに成功した。そして彼らが次に狙っているのは、「新型コロナウイルス予防ワクチン」である。

2020年、新型コロナウイルスの予防ワクチンは承認される以前から、投与キャンペーンが過熱していた。ハザールマフィアの息のかかった政治家や専門家が、しきりにワクチンの強制接種を主張していたのだ。

アメリカのトランプ前大統領も新型コロナウイルスについては当初、それほど問題視せず、対策も後手に回っていた。しかし、9月に入ると新型コロナウイルスのワクチン開発が順調に進んでいることをテレビ番組の中で強調し、「すべてのアメリカ国民に早急にワクチンを打つ」といった発言を繰り返し、ワクチン接種を強く呼びかけるようになった。それに呼応するようにハザールマフィアの支配下にある大手マスコミや大手IT企業も「ワクチン推進プロパガンダ」を垂れ流している。

ワクチン接種で半導体チップを埋め込む

じつは新型コロナウイルスよりもさらに危険なのは、「新型コロナウイルス対策」として展開されるワクチンや治療薬の投与キャンペーンだと警鐘を鳴らす関係者が多い。

というのもハザールマフィアは、安全なワクチンではなく、危険なワクチンを投与することで増えすぎた人口を間引こうとしてきた過去があるからだ。そのことは先にも述べたが、その率先者の一人がハザールマフィアの忠実な下僕であるビル・ゲイツだ。

実際問題として、彼が会長を務めるビル＆メリンダ・ゲイツ財団が「ワクチンを投与して49万6０００人に麻痺を発症させた」として２０１7年にインドから追い出されている。WHOのテドロス事務局長がエチオピア政府の保健大臣を務めていた当時、ビル＆メリンダ・ゲイツ財団からの資金を受けて行ったワクチン投与で２５０万人を死亡させたという報道があったことも先に述べた。

また、アフリカではこのようなDPTワクチン（3種混合ワクチン）を接種した子供が、接種していない子供に比べて10倍の確率で死亡しているという報告もあがってきている。

このような事実を以前から暴露していたのがロバート・F・ケネディ元司法長官（ジョン・F・ケネディ元大統領の弟）の息子、ロバート・F・ケネディ・ジュニア弁護士である。しかし、この反ワクチン運動家のもとに２０２０年4月、訃報が届く。父ロバートの孫娘メーブ・ケネディ・マキーン（ジュニアの姪）とその8歳の息子が「不可解なカヌー事故」で死亡したのだ。

ケネディ一家は、ジョン・F・ケネディ元大統領が暗殺されて以来、一家の者が若くして突然死亡する悲劇(別名「ケネディ家の呪い」)に次々と見舞われている。ジュニアの父ロバートも暗殺された。複数の情報筋では、今回の事故は反ワクチン運動をするジュニアに対する脅しと見ている。

そもそも新型コロナウイルスは正式名称を「COVID−19」という。この名称を付けたWHOは「Corona-Virus Disease 2019」の略だと表向き説明している。しかし、この名称は「Certificate Of Vaccination ID 19」の略でもあるのだ。日本語に訳すと「ワクチン接種を受けた証明書2019年」となる。つまり、WHOは新型コロナウイルスの感染症対策について当初からワクチン接種を前提にしていたのだ。ハザールマフィアは今回の新型コロナウイルスでもワクチン投与を呼びかけることによって、人口削減を企(たくら)んでいるのだ。

それればかりではない。ハザールマフィアはワクチンを接種するときに人体に「RFIDチップ」という半導体を埋め込もうとしている。ハザールマフィアが今回のパンデミック騒動を起こした狙いの一つは、経済崩壊を引き起こしてスターリン式の計画共産主義的な中央管理・統制システムへ世界を移行させることにあると先に説明したが、RFIDチップを人体に埋め込むのは、その中央管理・統制システムを強化するために他ならない。

トランプ前大統領の娘の夫であるジャレット・クシュナーは、トランプ政権の大統領上級顧問として重用されていた。そんな彼が狂信的な思想を持つユダヤの過激派「チャバド」の信奉者だということは有名な話だ。チャバドとはまさに悪魔信仰のことで、ハザールマフィアの根幹をなす思想と同じ。「人工ハルマゲドンを勃発させ、人類の9割を抹殺して残りの人々を家畜にする」というものだ。そのクシュナーがニューヨークのマンハッタンにある5番街の建物を購入したのだが、その住所の番地が「666」。悪魔崇拝者が好む悪魔の数字と一致している。そして、その建物の中で何が行われていたかといえば、ワクチン接種のときに体内に埋め込む半導体チップの研究と開発だった。

すでにこの半導体チップはある程度まで完成されており、これが体内に埋め込まれることで、遠隔からでも個人の識別が可能となり、さらに電子マネーと連動させることもできるようになっている。

今回の新型コロナウイルス騒動で各国政府がソーシャルディスタンス（社会的距離）の確保の徹底を呼びかけているが、その本当の理由は、人々が密集していると個人個人の識別ができず、個人情報の遠隔識別が困難になるからだとされる。今でも携帯電話などを利用して、ある程度のビッグデータを取得することができるが、さらに詳細なビッグデータを得るためには、人と人との間にある程度の距離が必要であり、そのために新型コロナウイルス騒動を利用して各国政府はソーシャルディスタンスを徹底させようとしているのだという。

携帯電話やアップルウォッチなどで所有者の息や脈のパターンを読み取ることができる技術がすでに開発され、その特許も取得されている。フランス当局からの最新の情報によると、この技術を使えば、息や脈のパターンからその人を識別できるだけでなく、その人の精神状態をある程度まで読み取ることができるという。

その上、人々の体内に半導体チップが埋め込まれるようになれば、さらに詳しい個人情報が当局に吸い上げられることになる。それこそ「いつどこで誰と会い、どのような会話が交わされたのか」ということまで把握されるだろう。それはとりもなおさず、大衆を監視して、人々を家畜のように管理しやすくするために他ならない。まさにそれがハザールマフィアの狙いであり、世界中の人々を家畜化し、完全な管理社会にしようという戦略なのだ。

さらには、ハザールマフィアはワクチンを接種したという証明書がないと電子マネーが給付されないというシステムの構築を企んでいるという。今回のパンデミック騒動によって経済が破壊されれば、一般市民は政府から給付されるお金に依存せざるをえない状況になる。そのときにハザールマフィアは、ワクチン接種により一般市民に埋め込まれた半導体チップに電子マネーを連動させることで、ワクチン接種をした人だけにお金が給付され、ワクチン接種を拒否して半導体チップが埋め込まれていない人にはお金が給付されない仕組みをつくり出そうとしているのだ。すでに借金の返済で現金や現物の金（ゴールド）を使い果たして

ワクチン接種を強制して人体に半導体チップを埋め込む

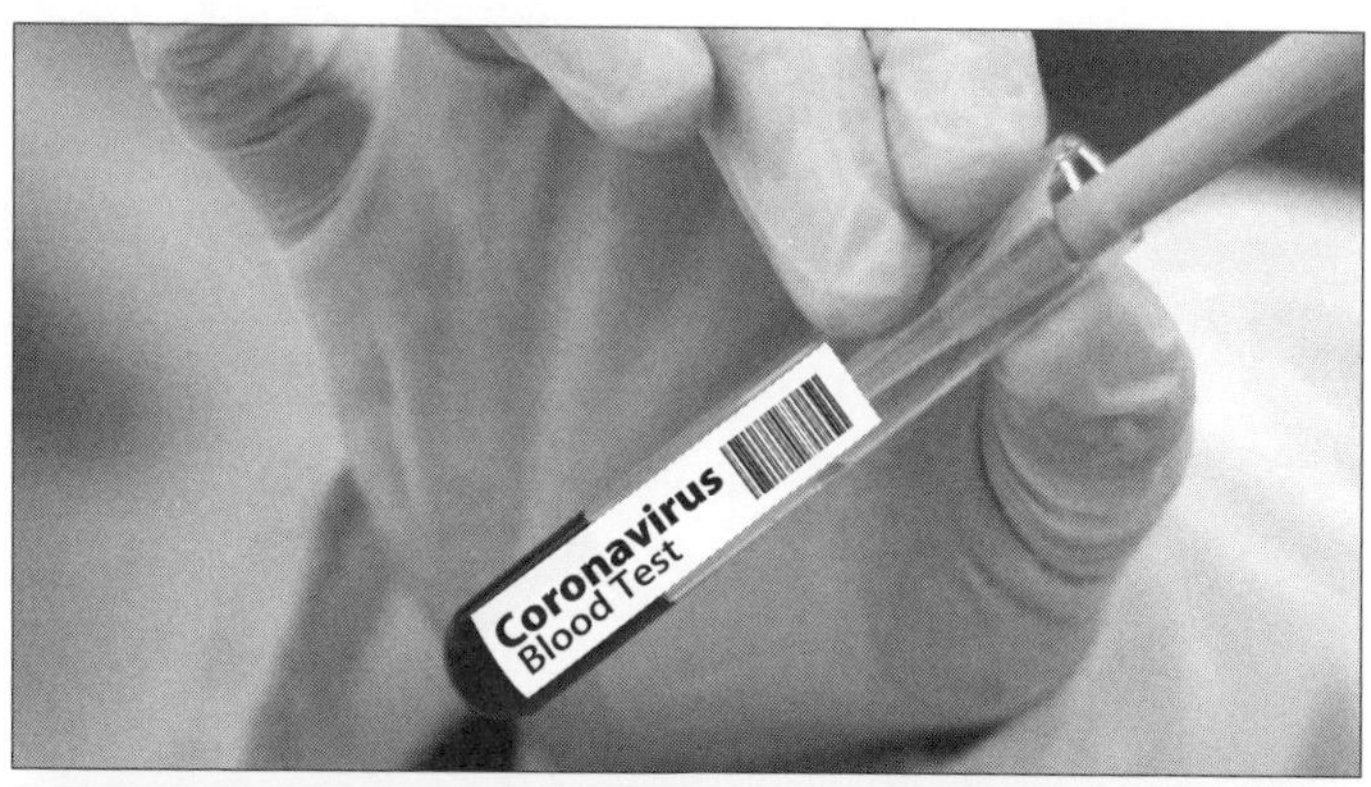

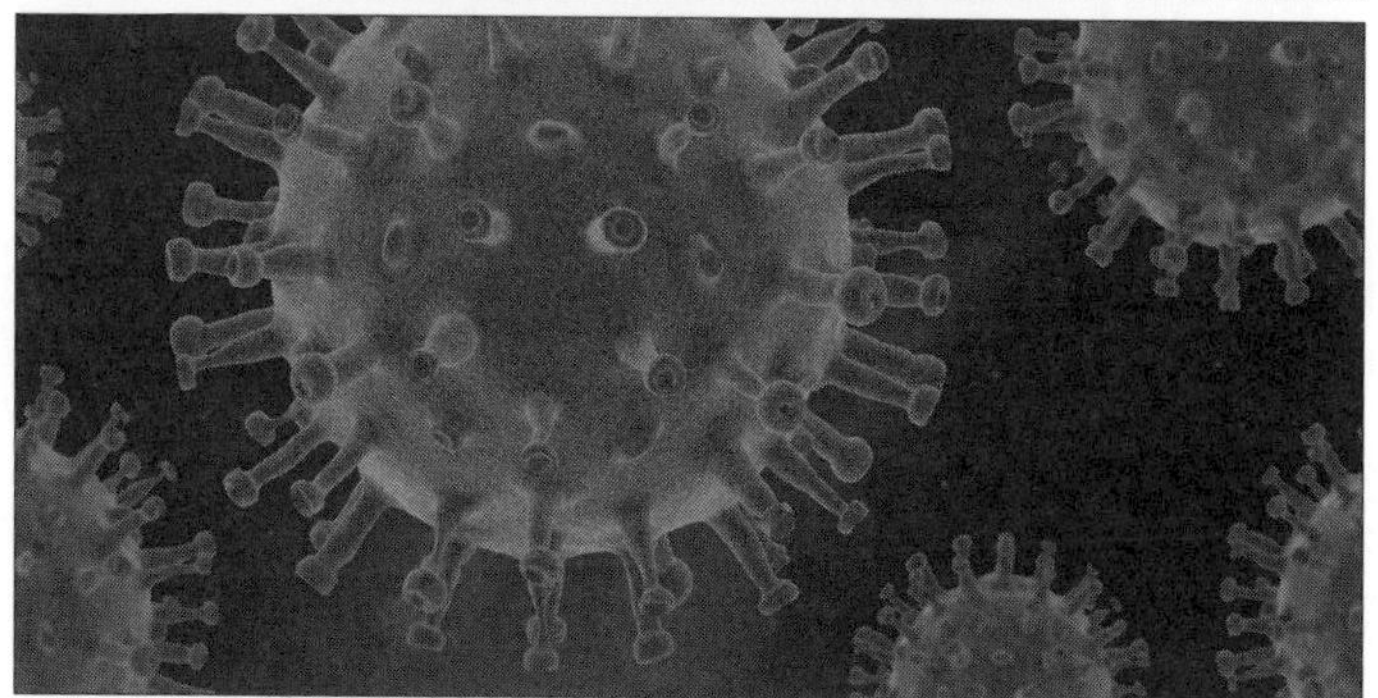

ハザールマフィアは新型コロナウイルスでパンデミックを捏造した後、人々の不安をあおり立てて予防ワクチンの投与キャンペーンを展開している。その真の狙いは、ワクチンを接種する際に半導体チップを人体に埋め込むことだ。そのチップによって人々の個人情報を収集し、中央管理システムの中で家畜化することを目論んでいるのだ。

しまったハザールマフィアにしてみれば、金融をすべてバーチャルな暗号通貨やデジタル通貨といった電子マネーに置き換えたいという狙いもある。

このように新型コロナウイルスのワクチン接種の証明書（Certificate Of Vaccination）を発行して、それがないと電子マネーが給付されないような社会になれば、人々は電子マネー欲しさにさらなる管理下に置かれ、中央管理システムの中で家畜化されていくことになるのは間違いないだろう。

「気象兵器」が仕掛ける山火事やバッタの大群

ハザールマフィアが巧妙なのは、アメリカの倒産をごまかし、人々の不安をあおって経済崩壊を加速させるために、何も新型コロナウイルスだけを利用しているのではないということだ。それは新型コロナウイルスによるパンデミックがインチキだと気づかせないためでもあるのだが、彼らはじつにさまざまな手段を用いて人々の不安をかき立て、または対立を生むような謀略を仕掛けている。

例えば、新型コロナウイルスが感染拡大する前から発生していたオーストラリアの山火事は、２０２０年2月にようやく鎮火したが、焼失面積は日本の本州の半分にも迫る。住民に犠牲者が出たばかりではなく、野生動物の被害も甚大で、その火災の様子がテレビで流されるたびにオーストラリア国民や周辺諸国に大きな不安を与えていった。

この山火事の原因は、表向きでは地球温暖化のせいだといわれている。しかし実際は、地球温暖化を主張してその防止のために各国から炭素税をむしり取ろうとするハザールマフィア内の温暖化派が、大手マスコミを使ってプロパガンダしているにすぎない。

このオーストラリアの山火事について、現地在住の私の読者から「レーザー光線」のようなものが空から放射されている画像が送られてきた。このレーザー光線は毎年のように発生するアメリカのカリフォルニア州の山火事の現場でもたびたび目撃されており、ハザールマフィアによる電磁波兵器の可能性が高い。オーストラリア当局の発表によると、この山火事に関連して200人あまりが放火容疑で逮捕されたとのことだが、電磁波兵器によって山火事が起こされ、それに誘発された人々が放火に走ったと見た方がいいだろう。

さらに2020年2月にはアフリカのソマリアでサバクトビバッタが大量に発生し、隣接するエチオピアやケニアにも波及して、アフリカ東部の穀倉地帯に甚大な被害を与えたことが報告された。それこそ1000億から2000億匹のバッタが農作物を襲い、すべてを食い荒らしていき、食糧危機がいっそう叫ばれることにもなった。

このバッタの大量発生についてもハザールマフィアの関与が疑われている。というのも、気象兵器によって砂漠地帯に大型サイクロンを呼び込んで大雨を降らせることで砂漠を緑化させ、その草を餌にするサバクトビバッタを大量に増殖させることができるからだ。

こうしていったんは緑化した砂漠地帯もその後、雨が降らなければ再び砂漠に戻ることになり、大量に増殖したサバクトビバッタは、餌を求めて移動することになる。

しかもいったんバッタが大量に発生すると、行く先々で大量の卵を植え付け、何度でも群れが発生し、さらに穀物を食い荒らしていくという悪循環が生まれる。バッタの群れは生物兵器でもあるのだ。実際にアフリカでバッタの大群が発生する前に、気象衛星画像から見て、自然ではありえないようなサイクロンが突如として発生していたことが分かっている。

この気象兵器は中国にも向けられた。2020年6月から約2カ月にわたって中国南西部や東部で降り続いた大雨で4500万人以上が被災し、死亡・行方不明者は140人を超えた。この水害による経済損失は約695億元（約2兆1970億円）に達したといわれており、新型コロナウイルス騒動からの復興を加速させたい中国に大打撃を与えた。これもまたハザールマフィアが大雨を降らせるために中国に気象兵器を撃ち込んだ結果であり、まさに彼らの狙いどおりになったといっていいだろう。

しかも、この大雨のせいで長江の水をせき止めて建設された世界最大の水力発電施設「三峡ダム」が決壊の危機に瀕（ひん）した。もしも三峡ダムが決壊するようなことになれば、他のダム

山火事やバッタの大群
「気象兵器」による災害が続発

ハザールマフィアの気象兵器による災害が世界各地で相次いでいる。オーストラリアで発生した山火事の現場では空からレーザー光線らしき光が目撃された（写真上の丸囲み）。また、アフリカやインドでは気象兵器によって数千億匹ものバッタが大量発生した（写真下）。穀倉地帯に甚大な被害が生じ、被災地での大規模な食糧危機が懸念されている。

も連鎖的に崩壊し、3億から6億の人々が被災して約50万人の死者が出ると推定されている。

現実にそんなことになれば、中国はこれを軍事攻撃とみなし、ハザールマフィアが支配するアメリカに対して核を含む報復措置をとるだろう。アメリカ軍の良心派はそうなれば世界が破滅することが分かっている。そこで彼らは中国と連携し、ハザールマフィアが気象兵器を使って中国へさらに攻撃しないように食い止めているのだ。

しかし、それでもハザールマフィアは中国に打撃を加えることで、アメリカと中国の経済交渉を有利に運び、あわよくば金をむしり取ろうと考え続けている。

黙示録を演出する「ブルービーム計画」

新型コロナウイルスをはじめ、大規模な山火事やバッタの大量発生、長期にわたる大雨など、ハザールマフィアはさまざまな謀略で社会不安をかき立てている。これらは、すでに21世紀となった現在においても、ある意味、黙示録的な「世紀末」の演出でもある。

黙示録とはこの世の終末と最後の審判、そして、キリストの再臨と新しい世界の到来を予告するメッセージのこと。ハザールマフィアの真の目的は現在の人口を9割まで削減し、自分たちが支配者として君臨することだと述べてきたが、新しい自分たちの世界に生まれ変わるためには、一度この世界を破壊しなければならず、そのための黙示録が必要となるのだ。

インターネットなどで調べてもらえれば分かるのだが、このところ世界各地の上空に「空に浮かぶキリスト」や「未確認飛行物体」などが現れている事象が数多く目撃されている。これらもまさに黙示録といってもいい。

しかし、結論からいえば、これらはすべて3Dホログラムで写し出された映像であり、「人工世紀末劇」ともいえる黙示録の演出の一つでしかない。3Dホログラムとは、3D映像を空間に投影することでまるで本物が目の前にあるかのように見える技術のこと。

特にキリスト教信者にとって宗教のシンボルでもあるキリストが空に浮かんで見えるだけで、それはもの凄いインパクトになり、新しい時代の到来を実感する人が多いことだろう。ハザールマフィアはこれを狙っているのだ。また、未確認飛行の物体についても、宇宙人の侵略といったイメージを植え付け、人々の不安をあおり立てる狙いがある。

これらの映像は、1980年代、ロナルド・レーガン大統領の政権時に立案された「スターウォーズ計画」によって宇宙空間に配置してきたレーザー衛星をネットワーク化し、レーザー兵器用の光線を利用してホログラムで空に浮かび上がらせているものだ。先に述べた気象兵器もこのレーザーを応用して開発されたものである。

さらにいうなら、ケムトレイル（Chemtrail）と呼ばれる、軍事飛行機が飛行中に機体の後ろから煙のようなものを散布していることが世界各国から報告されている。その映像もネット上にはたくさんあるが、これはレーザー兵器を活用するために行われているようだ。ホログラムで空に映像を浮かび上がらせるとき、このケムトレイルで噴霧した物質にレーザーを発射させて映像を写し出しているのだとアメリカ軍筋は伝えている。

ハザールマフィアは、この3Dホログラム技術を使った一連の演出を「ブルービーム計画」と呼んでいるらしい。そして、この計画はアメリカ軍、国連、アメリカ国防高等研究計画局（DARPA）、アメリカ航空宇宙局（NASA）、アラスカ大学の共同プロジェクトであることも判明している。

その一方で、欧米の大手マスコミが、3Dホログラムによる未確認飛行物体の映像に信憑性を与えるかのように、UFOやエイリアンなどを含む宇宙関連の話題をしきりに報じてきたことも見逃せない。

例えば、アメリカ国防総省（ペンタゴン）で極秘のUFO研究プロジェクトの責任者を務めていたルイス・エリゾンドが2020年6月18日、CNNのインタビューに応じ、「私の個人的な確信として、宇宙にいるのが我々だけではない可能性を裏付ける、極めて説得力の高い証拠がある」とし、さらに「地球外生命体が地球に到達している証拠もあると確信している」と語っている。

「空に浮かぶキリスト」「宇宙人の襲来」「ブルービーム計画」が世界各地で発動

黙示録を人工的に演出する「ブルービーム計画」による事象が世界各地で確認されている。アルゼンチンでは空に浮遊するキリストのような映像が目撃された（写真上）。この「空に浮かぶキリスト」の映像は各地から目撃談が寄せられている。2018年、アメリカ・ニューヨーク市の上空では巨大な青い閃光が発生し、宇宙人の襲来かと騒ぎになった（写真下）。

さらにイギリス・ロンドンに本社を置く多国籍企業のヴァージン・グループは、子会社のヴァージン・ギャラクティックが「2021年初旬から宇宙観光ビジネスを始める」と華々しく発表した。しかし、その裏ではヴァージン・グループの同じ子会社であるヴァージン・アトランティック航空が、2020年8月4日にアメリカ・ニューヨーク州の連邦破産裁判所に連邦倒産法第15章（国際倒産）の適用を申請し、破産保護を求めている。これではまるで倒産寸前の企業をアメリカ政府が保護してまで宇宙観光ビジネスを推し進めているかのようだ。いや、じつはそうなのだ。アメリカ政府を支配するハザールマフィアは、大手マスコミを利用してまで「宇宙キャンペーン」を展開しているのだ。

宇宙人の地球侵略を阻止するアメリカ宇宙軍

そもそも、これまでも宇宙キャンペーンの多くはハザールマフィアの一員であるロックフェラー一族が関わってきており、宇宙情報の多くは第3代当主デイヴィッド・ロックフェラーの実兄であるローレンス・ロックフェラーが発信元だった。

彼は宇宙関連の情報公開イベントやそうした活動家のスポンサーを多く担っており、「アメリカ人の宇宙探検が1972年以来、止まってしまったのは、宇宙人が邪魔しているからだ」というストーリーを拡散していった。1972年とは、有人月面着陸を成功させたアポロ計画が終了した年であり、宇宙人が邪魔をしているというのは、すでに宇宙人が地球やその周辺にやってきているということだ。

しかしその当時、宇宙人が地球に侵略していたという証拠はなにもない。ペンタゴン筋など複数の情報源によると、ハザールマフィアはこのような「ニセ宇宙人侵略」というストーリーを少なくとも1930年代から持っていた。ナチスの円盤などの技術が極秘にされ、一般公開されなかったのも、その「ニセ宇宙人侵略」の準備のためだったという。世界各地で目撃されている空飛ぶ円盤は、このナチスが開発したもので、それを未確認飛行物体として喧伝し、「ニセ宇宙人侵略」のストーリーをつくろうとしていったのだ。

これらのことを踏まえると、2019年12月に創設されたアメリカ宇宙軍も、ロックフェラーをはじめとするハザールマフィアがそのストーリーを利用するつもりで創設した可能性が高い。そのことを裏付けるかのようにアメリカ宇宙軍トップのジョン・レイモンド宇宙作戦部長が2020年7月に朝日新聞のインタビューに応じ、「宇宙はもはや平和的空間ではなく、戦闘領域になった」と明言している。

もちろん、現時点で宇宙空間の敵国として想定されているのはロシアと中国だが、最近の報道やいろいろな発表を見ていると、これから徐々に「宇宙人の脅威」というストーリーに転換されていく可能性が高い。ニューヨーク・タイムズの記事でも「ペンタゴンはすでに『地球上のモノではない飛行物体』を持っている」などとかなり大きく報じられた。

アメリカ軍の無人機がアフガニスタンなど各地で未確認飛行物体により撃墜される映像などもネット上に出回っており、CNNがこれをリポートしてもいる。2020年1月にはまばゆい光を放って空を横切る謎の飛行物体がカリフォルニア州で観測され、SNSに一般市民からの動画投稿が相次いだときには、「それが隕石でないことは確か」だという専門家らのコメントが報道された。

つまり、ハザールマフィアは「宇宙人による地球侵略」というシナリオを発動させて人々の不安をあおり、「アメリカの宇宙軍が『悪い宇宙人』から地球を守り、最終的に『地球人類を救ったアメリカ』が今の経済崩壊危機を脱する」というストーリーを遂行したいのだ。

しかし、彼らのそのような「宇宙キャンペーン」計画に乗せられてはいけない。彼らの狙いはあくまでも私たちの不安をあおり、アメリカが倒産したという現実から目を逸らさせ、自分たちの権力を維持し、さらに強固にすることにすぎないからだ。

アメリカ軍の良識派もそんなハザールマフィアの支配から宇宙軍を守ろうと暗闘している様子がうかがい知れる。UFOの噂が絶えないアメリカ空軍の極秘基地「エリア51（グルーム・レイク空軍基地）」付近で2020年5月15日、100回以上の地震が観測されている。

その地震波形データを見ると、人工地震の特徴が明らかに見てとれる。つまり、周辺の地下施設で何らかの激しい戦闘が行われていた可能性が高いのだ。

しかも、その2日前の5月13日には第21宇宙航空団の司令官トーマス・ファルザラーノがコロラドのピーターソン空軍基地にある自宅で不審な死を遂げている。彼は宇宙軍の将校になると期待されていた人物だった。これらの出来事は直前の5月7日にアメリカ宇宙軍が求人ビデオを公開した直後に起きていることも付け加えておく。

反ハザールマフィアが「人工世紀末劇」を逆利用

アメリカ軍の良識派とハザールマフィアとの暗闘はまだまだ続く。信頼する情報筋によると、ハザールマフィア勢力が独占していた「空に浮かぶキリスト」や「未確認飛行物体」などを写し出す3Dホログラムなどの技術は、すでに反ハザールマフィア勢力に押収され、完全に管理下に置いた暁にはこれらの技術を世界に公開していくつもりだという。

その一方で、ハザールマフィアを打倒した際には、世界がリセットされたことを世界の人たちに教えるために、ハザールマフィアの逆手(さかて)を取って、新しいブルービーム計画を実行するかもしれないともいう。すなわち、キリスト教圏の人たちには「空に浮かぶキリスト」を目撃させ、他のエリアではそれぞれが信仰する宗教のシンボルを空に浮かび上がらせることで人々に新しい時代が到来したことを実感させて、疲弊した人々を癒し、人々の心を一つにさせようというのだ。

さらにハザールマフィアが構築した既存の世界システムを根本的に変えるためには、「人工世紀末劇」も致し方ないという見方も一方にはあるようだ。手っ取り早く既存の世界システムを変えるためには第3次世界大戦を起こせば簡単ではあるが、多くの人々が犠牲になることが分かっている大戦争を起こすことはできない。そこで、ハザールマフィアが画策している「人工世紀末劇」に便乗する形で社会を混乱させ、その裏で既存の世界システムを変えてしまおうということらしい。

一時期、「小惑星が大気中で大爆発を起こす可能性がある」との報道が盛んに行われ、私たちを不安にさせることがあったが、これもハザールマフィアに便乗する形で反ハザールマフィアが画策した「人工世紀末劇」の一環だという。

中国ファーウェイの5G研究所を攻撃

このように新型コロナウイルスをばらまいて人々をパニックに陥らせようとしているハ

ザールマフィアに対して、アメリカ軍の良識派をはじめとする反ハザールマフィア勢力はただ黙って見ているわけでない。彼らは隙あらば反撃する機会をうかがっている。

実際に新型コロナウイルスが発生した当時、「それが生物兵器だと判明した場合は、自分たちが立ち上がって反撃する」という声明文を反ハザールマフィア勢力であるアジアの結社筋から私は受け取っていた。その文面の一部を紹介しよう。

「もし、このウイルスが人為的または謀略的、侵略的なもので、自然に発生したものではない場合、我々アジア最大の秘密結社・洪門宗家と鉄の掟を持つ秘密結社・青幇は敵を地の果てまで追いかけて必ず見つけ出し、髪の毛一本でさえ地上に残さないことを誓う」

なんとも過激な声明文だが、実際に新型コロナウイルスの開発に関わったと思われるカナダの微生物学者フランク・プラマー博士が「ケニアのナイロビ滞在中に突然死した」とのニュースが2020年2月に報じられた。彼は世界的に有名なHIV研究者で、他にも鳥インフルエンザやSARS、エボラ出血熱の騒動のときにもしばしば名前が挙がっていた人物だ。これらHIVや鳥インフルエンザなどはすべてハザールマフィアが開発した生物兵器だということは先に説明したとおりだ。

さらに2020年9月25日には中国広東省にあるファーウェイの5G研究所で大規模火災が発生し、3人の死者まで出している。アジア結社筋によると、新型コロナウイルスが発生した後、武漢で大量の死者が出た理由が5G電磁波だということが確認されたために、即刻、研究所が攻撃されたのだという。

5G関連でいえば、5Gを推進しているアメリカの大手通信情報会社であるAT&Tの最高経営責任者（CEO）ランドール・スティーブンソンが2020年7月1日付で退任している。トランプ前大統領はこの退任発表の報道を受けて、「彼は追い出されたらしい」とツイッターで述べていたが、日本で5G展開を積極的に進めようとしているソフトバンクグループの孫正義も今後、表舞台から姿を消すことになるかもしれない。

コロナ禍を利用してハザールマフィアを粛正

ハザールマフィアが画策している「人工世紀末劇」を逆に利用しようという反ハザールマフィアの動きを述べたが、じつは今回の新型コロナウイルス騒動そのものに対しても反ハザールマフィア勢力が逆に利用している部分もある。

アメリカのCIAを使ってさまざまな工作活動を行ってきたハザールマフィアのブッシュ一族は、一族の長であったパパ・ブッシュことジョージ・H・W・ブッシュの死により今では完全に表舞台から消えてしまった。今回の新型コロナウイルス騒動の中でもハザールマフィアの根底となる悪魔を崇拝する多くのセレブや政治家、大企業のCEOたちが表舞台から消えつつある。

例えば、新型コロナウイルスの感染率や死亡率は基本的には低いのに、王族や政治家などのセレブの感染率や死亡率が一般人に比べて極めて高いのはどういうわけか。

もちろん、セレブゆえにマスコミに大きく取り上げられるので、そう感じるのかもしれない。しかし、じつはハザールマフィアがばらまいている新型コロナウイルスを利用して、反ハザールマフィアの勢力がハザールマフィアやその協力者たちを脅し、粛正している可能性が高いという。最悪、殺害しても、新型コロナウイルスによって死亡したと発表すれば誰にも怪しまれることがないからだ。

実際に感染が拡大した欧米諸国ではロックダウンや緊急事態宣言などの戒厳令のような措置がなされたが、それはハザールマフィアとその協力者を逮捕するため、国外逃亡を防ぐとともに家から逃げられないようにするためだという情報もある。

特にイタリアは2020年2月下旬から凄まじい勢いで感染者と死者数が急増していったが、それは中国に接近しているイタリアとバチカンに制裁を加えるためのハザールマフィア側の攻撃だといわれていた。しかし、反ハザールマフィア勢力はこれを逆手に取って、新型コロナウイルスのパンデミック騒動を利用してハザールマフィアとその協力者たちを大量に逮捕したとペンタゴン筋は伝えている。その中には死刑に処された者も少なくないが、すべて新型コロナウイルスで死亡したことにされている。

アメリカ当局も新型コロナウイルスの感染拡大を受けて、船体に大きな赤十字が描かれているアメリカ海軍の病院船を2隻、ニューヨークとロサンゼルスに派遣したことがあったが、あの船は新型コロナウイルスの感染者ではなく、逮捕者を収容するためのものだったという情報も入ってきている。実際にかなりの数のハザールマフィアの関係者が逮捕されたという。

今回の新型コロナウイルスの騒動を引き起こしたハザールマフィアに対して訴訟を起こそうという動きも出てきた。ドイツの民間コロナウイルス調査弁護士会のライナー・フルミヒ博士もその一人。

ドイツ当局筋から得た情報によると、2019年5月にドイツで行われたある会議で、今回のパンデミック騒動についての詳細が話し合われていたという。その会議に関わったのはドイツのアンゲラ・メルケル首相、WHO、製薬会社、ビル&メリンダ・ゲイツ財団などなど。彼らがワクチンと治療薬の販売などを目的にパンデミック騒動を当初から執拗にあおってきたことはいうまでもない事実であり、今後の裁判の行方が注目される。

さらにイギリス当局も、国際司法当局にパンデミック騒動を起こしたハザールマフィアに対する捜査と取締りを要請しているという情報が伝わってきている。

イギリス当局によると、ハザールマフィアたちがデタラメなパンデミックをでっち上げたのは、その騒動に乗じて利益を得ることが目的の一つだったという。現実に彼らは今回の騒動で莫大な利益を上げており、例えば、新型コロナウイルスの影響で2020年3月に株価が大暴落した際、モルガン・スタンレーやバンク・オブ・アメリカ、チャールズ・シュワブといったハザールマフィアが株で大儲けしている。これらの金融機関はインサイダー情報に基づいて、暴落前に株の空売りをした可能性が高い。もしもインサイダー取引を行っていたのならば、立派な犯罪である。

いずれにしても、今回のパンデミック騒動を起こしたハザールマフィアに対する反撃はすでに始まっている。ペンタゴン筋によると、すでにヨーロッパではパンデミック騒動に加担したオランダ王族やベルギー王族、それを取り巻くエリートたちの粛清が始まり、その後はG7の指導者やロシアのウラジーミル・プーチン大統領、製薬会社の幹部、WHOの上層部なども命を狙われることになるという。

マスク着用は新時代への「未開の通過儀礼」

このように新型コロナウイルス騒動をでっち上げていったハザールマフィアに対する反撃

は、今後さらに激しくなるだろう。しかし、ハザールマフィア側も自分たちの失脚を回避するために、現在のパンデミック騒動をさらに煽動(せんどう)しながら、なんとか自分たちに有利な方向に導こうとしていることも確かだ。

ダボス会議を主催する世界経済フォーラムはハザールマフィアの出先機関だが、今回のパンデミック騒動をきっかけに「世界の再起動」を呼びかけているのもそのためだろう。2020年6月3日に世界経済フォーラムはウェブサイトを通じて2021年1月のフォーラムの概要を発表したが、これは「世界の再起動」に向けたものだと彼らは説明してもいる。しかし彼らが言っているのは相も変わらず「持続可能な経済発展」や「環境保全」などという、しょせんはきれいごとにすぎない。つまり、彼らが言う「世界の再起動」の意味は、現在のパンデミック騒動を利用して完全たる独裁支配を始めることでしかないのだ。

現実問題として、彼らがでっち上げたパンデミック騒動のせいで中小企業や個人の収入は大きく下落した。その一方でハザールマフィアが支配する大企業がさらなる富を吸い上げようとしている。しかも、2020年10月7日のロイター通信の記事によると、世界の富裕層の保有資産が過去最高に達し、10兆ドルの大台を突破したが、それは今回の新型コロナウイルスのパンデミック騒動のさなかに資産が25%も拡大した結果だという。世界の富裕層とは、まさにハザールマフィアに他ならない。ハザールマフィアの一員であるロスチャイルド一族は新型コロナウイルスの陽性反応が多発するインチキなＰＣＲ検査キットでパテント（特許）を取得して、さらなる儲けを企んでいるというイギリスの諜報機関ＭＩ６からの情報もある。

とにかく私たちはハザールマフィアの巧妙な言動にだまされてはいけないのだ。

とはいえ、今回の新型コロナウイルスのパンデミック騒動はたとえつくられたものであるとしても、これを契機に私たち自身も変わっていかなければならないことも確かである。生活様式にしても新型コロナウイルスの発生以前とは変わっていかざるをえないだろう。

例えば、現在、私の生まれたカナダを含め、多くの国々でマスク着用が法的に義務付けられている。日本の場合は義務ではないが、政府やマスコミによりマスク着用が執拗に推奨されている状況だ。

しかし最近、特に欧米ではさまざまな調査から「マスクの着用が逆に不衛生かつ危険な状況をつくりだしている」との指摘が多く噴出している。

例えば、イングランド王立外科医師会の年次報告書に掲載された１９８１年のレポートによると、手術の際にマスクを着用した場合と着用しなかった場合を比較すると、マスクを着用した方が倍以上の確率で患者が感染症を起こしたという。これは、ニール・オル博士の医療チームが「手術中にマスクを着用しないとどうなるか」を検証するために１９８０年３月から８月までの半年間、マスクなしで手術をし続け、過去４年間の３月から８月までの感染率と比較して得たデータに基づくものだった。

さらに別の実験では、医師たちがマスク内部に卵白をつけて外科手術をしたところ、術後に患者の傷口の周りに卵白が多く付着していたことが分かっている。

実際、アメリカのマスク着用が義務化されている州では、新型コロナウイルスの死亡率が義務化されていない州に比べて軒並み高いという報告もある。また、中国においてはマスクの着用により運動中の学生数人が死亡し、現在マスクをめぐって論争が巻き起こっている。

しかし、それにもかかわらず、どうしてマスクを着用させる国際的なキャンペーンが現在、世界で大々的に展開されているのだろうか。

その理由は、地球人類に「未開の通過儀礼（Savage initiation ceremony）」を体験させるためだと国連の関係筋は話している。簡単に言うと、それが良い方向か悪い方向かは別として、新たな時代に向けた心理的な準備なのだという。

いずれにしても私たちは今回の新型コロナウイルス騒動に負けることなく、前に進まなければいけないということである。

第4章

「株式会社アメリカ」の倒産と「内戦」の勃発

破産！　暴動！　アメリカ崩壊の真相

過去最大の財政赤字で「株式会社アメリカ」が倒産

新型コロナウイルスがばらまかれ、パンデミック騒動がでっちあげられた理由の一つは、アメリカが倒産していることをごまかすためだと先の章で述べてきた。

アメリカ議会予算局（ＣＢＯ）の発表によれば、２０１９年10月から２０２０年9月までの２０２０会計年度のアメリカの財政赤字は過去最大の3兆３０００億ドル（約３５０兆円）になる見通しで、この財政赤字の額はＧＤＰの16％を占めるほどの巨額となり、２０１９年度の4・6％から大きく増えて第2次世界大戦時以来の大きさになるという。

さらに新型コロナウイルスの影響で２０２１年度の財政赤字は2兆１０００億ドル程度になるだろうとも予想されている。

常識的に考えて、このような巨大な額は簡単に返済できるものではない。だからこそ、財政赤字を埋め合わせるために発行されている国債などの利払いや貿易上の支払いなどの対外支払日である9月末と1月末が近づくと、アメリカ大統領やアメリカを支配しているハザールマフィアが何かしらの行動を起こしてきた。恫喝まがいの外交で金を巻き上げようとしたり、テロのような過激な行動を起こして借金返済を引き延ばす口実に使ったり、借金そのものを棒引きしようと企んだりしてきた。

2020年1月にはイランの国民的英雄であるカセム・ソレイマニ司令官を暗殺し、混乱を誘発させようとした。さらに中国・武漢に生物兵器である新型コロナウイルスを投下し、5G電磁波攻撃を加えた。そして、それに続いてパンデミック騒動をでっちあげ、9月も乗り越えようとしたのだ。

しかし、アメリカはすでに2020年2月半ばに2度目の不渡りを出し、実質的に倒産した状態である。トランプ政権はそのことをごまかすために新型コロナウイルスのせいにしてきたが、アメリカ経済がおかしくなったのは新型コロナウイルスが原因ではなく、不渡りによる経済破綻でアメリカの信用不安が起こったからに他ならない。

そもそもアメリカという国を運営しているのは特別区「ワシントンDC」にある「株式会社アメリカ」である。この会社はれっきとした法人企業としてプエルトリコで法人登記されており、日本の国税庁に該当するIRS（内国歳入庁）などの国家中枢機関を統轄することでアメリカ政府をコントロールしている。じつはアメリカ大統領といえども、その実態は「株式会社アメリカ」に雇われた社長でしかないのだ。

そして、この「株式会社アメリカ」の株主に名を連ねている者たちこそがロスチャイルド一族やロックフェラー一族、イギリス王室を中心としたヨーロッパ貴族などといったハザールマフィアたちである。

特にロスチャイルド一族は世界の金融を牛耳ってきただけでなく、1861年に起こった南北戦争で北軍と南軍に軍資金を提供することでアメリカの資本を奪い取り、「ワシントンDC」というアメリカから独立した特別区を設置して、「株式会社アメリカ」を誕生させた。

さらに、1907年に発生した金融恐慌に便乗して中央銀行の役割を担うアメリカ連邦準備制度（FRB）を成立させ、アメリカの自国通貨であるドルの通貨発行権を握ることにも成功して今日に至っている。しかも、このドルを国際基軸通貨とすることで世界経済をコントロールもしてきた。

しかし、長年にわたる財政赤字と膨大な貿易赤字を抱えて、アメリカはどうすることもできない状況に追い込まれていった。反ハザールマフィアの勢力が台頭してきた背景にあるのも、このままではアメリカだけでなく世界経済そのものが崩壊するという危機感の表れである。そして、ドルに代わる新しい国際金融システムの再起動を画策している。

とはいっても「株式会社アメリカ」に巣食うハザールマフィアが、おいそれと退場することはない。それどころか、なんとか延命しようとした結果が今回の新型コロナウイルス騒動であることは先の章で述べたとおりだ。気象兵器を使って大規模な山火事を引き起こすのも、穀倉地帯に火を放つことで、食料生産力を落ち込ませ、食料価格が高騰することで、食料輸出大国のアメリカの「ドル」の価格を維持するためでもあるのだ。

しかし、アメリカは誰の目から見ても「フェイルド・ステイト（失敗国家）」に成り下がっている。私の情報源の間でも「America is finished（アメリカは終わった）」というフレーズが頻繁（ひんぱん）に飛び交っている状況だ。

それでもアメリカをつぶすことができないのは、アメリカが大きすぎるからに他ならない。もしもアメリカがつぶれてしまえば、その後の世界にどんな大混乱を招くか、想像さえできないような状態になる。それゆえに反ハザールマフィアの勢力は現状の成り行きに任せ、緩やかな形でアメリカを崩壊させようとしているのだ。

アメリカの経済力が「世界第3位」に転落

アメリカの倒産は、目に見える形でじわじわと現実のものとなってきている。

例えば、アメリカ労働省から支給された失業保険の小切手が決済できず、不渡りを起こす事態が現在、多発している。2020年5月にもワシントン州政府が「パンデミックにより失業した人々に失業手当を給付できない」と発表した。これらの事実は、明らかにアメリカ政府はもとより州政府にもお金がないということを表している。金庫が空っぽなのだ。

失業者も激増し、アメリカ当局の発表によると、２０２０年2月から6月までの時点でアメリカ国内では４７００万人もの失業者が発生した。

トランプ政権はこれを新型コロナウイルスの影響だとしているが、実際にはアメリカが国家破綻したことが原因だと見るべきだろう。９月に発表された8月の失業率は８・４％で、前の月より１・８％改善され、４カ月連続で失業率が低下したというが、実際に労働省が公表した統計の数字を見ると、矛盾だらけで、とても信用することができない。それこそ１週間のうち１時間でも働いていれば労働者としてカウントされてしまうのだ。実際にはさらに多くの人が失業状態にあり、金銭的に困っていることが容易に想像できる。

仕事がなければ、家賃やローンの支払いができない。実際問題としてアメリカでは２０２０年8月時点で家賃や住宅ローンの不払い運動が加速し、企業と個人のそれぞれ４割が家賃や住宅ローンを支払っていない。

アメリカ経済が崩壊していることはＧＤＰの成長率を見ても分かる。商務省が7月30日に発表した２０２０年4月から6月までのＧＤＰ成長率は、速報値で前の３カ月と比べてマイナス32・９％だった。これで6カ月連続のマイナスとなり、統計を取り始めた１９４７年以降、最大の減少幅で、最悪の水準となった。

しかし、現実はこの数字よりさらに深刻だ。

連邦準備銀行の一つであるアトランタ連邦準備銀行が試算したところ、2020年6月のアメリカのGDPは前年同月比で55%も下落しており、購買力平価（PPP）を基準に算定したGDPで各国の経済と比較してみると、アメリカのGDPは20兆4900億ドルから9兆ドル台にまで転落し、中国の25兆3600億ドルやインドの10兆5500億ドルをも下回り、世界第3位に転落してしまうという。まさにアメリカの崩壊である。

もはやアメリカは40年間にわたって蓄積された貿易赤字と財政赤字のツケが回った結果、借金で首が回らなくなり、これ以上、各国からモノを買うことができなくなってきている。実際に対外支払いが滞っているアメリカへ各国からの輸出が止まり、2020年4月にはロサンゼルスの港のコンテナは5割も減少した。

その影響で中国からの安価な商品が仕入れられなくなったアメリカ最大の小売り企業であるウォルマートは、ついに衣類やアクセサリー、靴、カバンなどの中古品の販売を始める決断を下すまでになっている。さらに海外から必要な部品などを買うことができないため、2020年4月には国内の工業生産高も過去100年間で最大の落ち込みを見せ、製造設備の65%が稼働していない状況まで追い込まれた。

輸出産業にしても2020年の4月から6月までの輸出が23%も下落している。米中協議で約束した「中国によるアメリカ製品の爆買い」も絶望的な状況であるばかりか、中国はアメリカ政府への圧力としてアメリカ製品をわざと購入していないように見える。これまでアメリカから買っていた大豆を、割高であるにもかかわらず、先々の分までブラジルから大量に購入していたことが分かっている。

おまけに全米不動産協会などの試算によると、２０２０年4月から6月までの住宅投資が36％も減少しているという。これでは景気回復を後押しする国内需要も絶望的だといえる。

今後、アメリカ各地の中小企業が次々と倒産していくことだろう。

住む家も食料もないアメリカ人が激増

事実上の国家破綻に陥ったアメリカは、その事実を隠すために新型コロナウイルスの「パンデミック対策」という名目で、経済封鎖とロックダウンなどの戒厳令を敷いた。その影響はただちに一般市民への経済的な打撃となって跳ね返り、市民生活にも支障をきたすような事態にまで発展している。

アメリカ心理学会（ＡＰＡ）が実施した最新の世論調査では、一般市民の7割以上が現在の状況を「史上最悪」だと答えている。中でも懸念されるのは食料と住居の問題だろう。

対外支払いが滞っているアメリカは海外から商品を輸入できなくなったため、深刻なモノ不足に襲われている。すでに「卸売在庫（製造業、卸売業、小売業の在庫の状況を知る指標）」がリーマンショック時を超える下落を見せ、しかもその下落率がどんどん加速している。

2020年7月下旬に行われた国勢調査局の調べでは、約3000万人のアメリカ市民が「十分な食料を得られていない」と回答しており、フードバンク（食料支援団体）の試算によっても2020年末までに5000万人を超えるアメリカ人が食料難に陥ると見込まれているという。一般市民の4割が食料支援を必要としているというデータさえある。

現実に収入の減少や失業により貧困にあえいでいる大勢の一般市民が、無料配布される食料を求めて数キロにおよぶ長蛇の列をつくっている。これまで発展途上国を支援していた慈善団体も、アメリカ国内での活動を余儀なくされている状況なのだ。

何度もいうようだが、このような異常事態は単に食料の供給不足によるものではなく、アメリカの破綻にともなう崩壊劇の一つと見るのが妥当だろう。

さらに、現在アメリカ人世帯の4割が家賃や住宅ローンを支払っていないと先に述べたが、それは今後なんの策も講じなければアメリカ人世帯の4割が家から追い出されるか、もしくは物件やローンを貸している大家や金融機関が大損を喰うことを意味している。

すでに家を追われた人たちも増えている。ロサンゼルスやニューヨーク、サンフランシスコなど、テントを張って路上生活をしている人たちが各地で見られるようになってきている。

貧困者の増加とともにヘロイン中毒者も増え、ニューヨークなどでは繁華街を中心に路上がヘロイン中毒者の吹きだまりと化している。ニューヨーク以外でもサンフランシスコなどの多くの都市でジャンキーやホームレスがあふれ、使用済みの注射器や人の排せつ物、ゴミ、避妊具などが街中に散乱している状況だ。

このような異常事態に、ニューヨーカーの5人に2人が街を離れたいと考えているという調査結果もある。実際に富裕層の人々が都市部から逃げ出し、ニューヨーク州南東部に位置する高級住宅地ハンプトンズでは住宅の売り上げや価格が急騰しているが、一方でニューヨーク市街の住宅価格は暴落している。ローンや家賃を払えない貧困層が家を追い出されている中、富裕層は高額な住宅を購入して郊外に逃げ出しているというのが現状なのだ。

アメリカはますます裕福層と貧困層の格差が拡大していくばかりだろう。

株価最高値はフェイク！　実体経済を反映しない

とはいえ、株式市場に目を転じると、アメリカ経済は順調に回復しているように見える。

新型コロナウイルスのパンデミック騒動で大混乱に陥った2020年3月、アメリカの株式は大暴落した。しかし、その後は次第に回復していき、2020年6月8日のニューヨーク株式市場では、IT関連銘柄の多いナスダックの株価指数が史上最高値を更新した。さらに8月18日にはアメリカの株式市場の主要な指標の一つであるS&P500の指数が新型コロナウイルス騒動以来、約6カ月ぶりに史上最高値を更新し、さらに上がり続けた。

しかし、その実態を詳しく見ていくと、アメリカの株価指標を押し上げているのは、ハイテク企業だということが分かる。特にフェイスブック、アマゾン、アップル、マイクロソフト、グーグルの5社（この5社の頭文字をつないで「FAAMG」という）を除くと、アメリカの株式市場は新型コロナウイルス騒動で暴落した水準のままだといっていい。

そもそも現在のアメリカの株式市場はAI（人工知能）と連動していて、FAAMGのような超巨大企業だけが儲かるような仕組みになっている。実体経済とはまったく関係がないところで動いているのだ。

さらに電気自動車メーカーのテスラなどもその株価が高値圏で推移しており、テスラの株式の時価総額は現在4000億ドル（約42兆4000億円）を超え、あのトヨタを抜いて自動車メーカーの世界首位に躍り出ている。

しかし、その実態はといえば、テスラは年間に36万台しか販売しておらず、年間に1000万台以上を生産・販売しているトヨタにはとうてい及んでいない。しかもテスラは品質調査では、世界の自動車会社250社の中で「最低品質」と判定された会社でもある。

まさに実態とかけ離れたところで、テスラの株価だけが異常に高騰しているのだ。その裏側には、政府がテスラに環境補助金を投入して後押ししているカラクリがある。

ＦＡＡＭＧについていえば、ビル・ゲイツの例を持ち出すまでもなく、ハザールマフィアの支配下にある企業群だ。同じようにハザールマフィアが支配しているアメリカの中央銀行であるＦＲＢが市場にお金を放出し、ＦＡＡＭＧやテスラを助けるために、その株価を必死にかさ上げしているのだ。

しかし、ＦＲＢがいくらお金をばらまいたところで、アメリカ経済の崩壊を止められるわけではない。莫大な財政赤字と40年以上も続いた貿易赤字のせいでアメリカの産業構造は空洞化が進行し、すでにモノづくりを担う製造業が衰退してしまっている。今さらハイテク企業をテコ入れしたところで、そう簡単に産業の空洞化を解消できるわけがないのだ。

そもそもアメリカを経営しているハザールマフィアがどんなに株価を操作し、高水準を演出しても、実体経済との乖離は史上最大といっていいほどに広がっており、いつかは支えきれない日がやってくることは明らかだ。ＩＭＦ（国際通貨基金）もこれまで何度となく警告を発し、「中央銀行の金融緩和策などで放出したあぶく銭で株価を押し上げても、それを維持し続けることは不可能」といっている。歴史的に見ても、実体経済と株価のギャップが発生した場合、その後に株価が下がるのは必至だ。

それでもアメリカ政府が株価をかさ上げしたい理由の一つには、年金ファンドを維持するためということもあるだろう。今はゼロに近い超低金利時代のため、ほぼすべての企業もしくは公的な年金ファンドが年金の積立金を株式投資で運用している。つまり、アメリカの年金は株価の上昇に完全に依存しているのだ。もしも株価が暴落したままになれば、年金暮らしのアメリカ人は途端に生活ができなくなる。

とはいえ、貧困層にとってはもともともらえる年金はわずかであり、株を保有しているわけでもないので、株価が上がったところで何の恩恵もない。それどころか株価が上がれば上がるほど、株を保有している裕福層との所得格差がますます拡大していくばかりだ。

このような状況では、たとえ大手マスコミや政府が「景気が回復しつつある」と喧伝したところで、それは絵に描いた餅であり、アメリカの多くの人々はいっそう不満を募らせるばかりになるだろう。

ドル紙幣はアメリカ以外の国でも刷られている

もちろん、トランプ政権もこのような異常事態に対して、ただ手をこまねいていたわけではなかった。

2020年3月には新型コロナウイルス騒動を理由に2兆2000億ドルもの経済対策を打ち出し、4月中旬からは大人1人につき最大で1200ドル（約13万円）、子供にも500ドル（約5万5000円）の現金が給付された。さらに現在も現金給付の第2弾が検討されている。また、失業者に対しても失業手当を上乗せしようと動いてもいる。

しかし、政府がいくらお金をばらまき続けても、お金の裏付けとなるはずの実体経済がまったくともなっていない現状では、それほどの経済効果は期待できない。実際に現金給付を受けてもアメリカの一般市民が貧困にあえいでいることは先に述べたとおりだ。

それでも、もらえないよりはもらった方がいい。逆にいえば、お金のばらまきが終わったとたんに一般市民の生活は完全に立ち行かなくなり、不満がマグマとなって大爆発を起こし、それこそ大衆が革命へと動きだすことだろう。まさにアメリカ政府とアメリカ国民は「金の切れ目が縁の切れ目」という、日本のことわざどおりの関係にあるともいえるのだ。

そもそもアメリカ国内にばらまかれているドルは現在、実質的に外貨としては使えない。アメリカ国内では流通できるが、海外からモノを買うことはできないのだ。それはドルを海外に持ち出せないよう、アメリカ人は渡航禁止などの措置で実質的に国内に監禁され続けているからであり、現在アメリカ人が堂々と入国できるのはカリブ諸国と東欧諸国のそれぞれ一部くらいで、それ以外のほとんどの国はアメリカに対して厳しい入国制限を設けている。

もちろん、その表向きの理由は「新型コロナウイルス対策」ということになっているが、本当の理由は、アメリカに対する不信感はもとより、アメリカ政府が今ばらまいているドルは、「実体経済と関係なく無作為につくり出された裏付けのない通貨」として各国から取り扱われ、もはや国際基軸通貨としての地位が危ぶまれているからに他ならない。アメリカがどんなに国際基軸通貨としてドルを流通させようとしても、世界各国ではドルは偽札に等しい存在としか見ておらず、その現実をアメリカ国民の目から覆い隠すためにアメリカ政府は新型コロナウイルスのせいにするしかないのだ。

こんなこともあった。新型コロナウイルス騒動が起こったばかりだった2020年3月6日にFRBが、中国などのアジア地域からアメリカに入ってきたドル紙幣を「新型コロナウイルス対策」として最低でも7日から10日間隔離し、流通を止めると発表した。イギリスの諜報機関MI6の関係者によると、この措置は新型コロナウイルスを名目にしてアメリカへの輸出を止めた中国などのアジア諸国に対する報復だったという。

しかし、それは脅しにもならなかった。アジア諸国はすでに国家として破綻しているアメリカとの取引は重要視せず、ドル自体にも以前ほどの価値がなくなっていることを知っているからだ。それゆえにアメリカがドルの流通を止めたところで、アメリカ政府が考えるほどの報復にはなっていなかったのだ。

さらに信頼する別の情報筋によると、ドル紙幣はアメリカ以外の複数の国々で印刷されているのだという。特にアメリカとの貿易で債権国であるアジアの国々では、借金の担保として、返済額と同じだけのドルを自国で印刷することが認められているようだ。

試しにドル紙幣を見てもらえれば分かるが、そこには「紙幣」を意味する「ＢＩＬＬ」という文字はなく、「証書」を意味する「ＮＯＴＥ」という文字が書かれている。つまりドル紙幣は最初からあくまでも「借用証書」としてつくられたものだったのだ。

アメリカは通貨スワップ協定を利用して、それを隠れ蓑にしているという情報もある。通貨スワップ協定とは、自分の国が通貨危機に陥ったときに協定相手の国の通貨を融通し合うことを定めたものだが、アメリカの場合の通貨スワップ協定は、ドルを借用書として印刷してもかまわないということらしい。

今のところはまだアメリカと「陰の通貨スワップ協定」を結んでいる国は、自国で刷ったドルを市場に流してはおらず、塩漬け状態にしているのでドルは暴落していないが、中国だけはこっそりと自国で刷ったドルをアフリカあたりにばらまいて、いわゆる「一帯一路」の拡大に使っているといわれている。

ドルはもはや国際基軸通貨としての地位を手放すほどに追い込まれているというのが実状なのである。

黒人殺害事件の全米デモで「内戦」突入！

新型コロナウイルス騒動は死者数の水増しや大手マスコミの煽動によって捏造されたものであり、その背景にあるのはアメリカの倒産だということを述べてきた。これら一連の騒動によってもたらされたのは、アメリカ国民の困窮であり、社会的な騒乱だった。

その象徴といえるのが、アフリカ系アメリカ人の黒人男性ジョージ・フロイドの死亡事件と、それに抗議する形で全米各地に起こった黒人差別反対運動のデモと暴動である。

２０２０年5月25日にミネソタ州のミネアポリス近郊で「ジョージ・フロイド事件」が発生した。偽ドル札を使用したとして白人の警察官がジョージ・フロイドを拘束した際、「助けてくれ」と懇願していたにもかかわらず、頸部を膝で押さえ続けて窒息死させたのだ。

そして、このときの映像がソーシャルメディアなどで広く拡散されたことで、全米各地で激しい抗議デモが続き、黒人差別反対運動の「ブラック・ライヴズ・マター（Black Lives Matter)」につながっていった。

もともと「ブラック・ライヴズ・マター」という言葉は、２０１３年から２０１４年にかけて、アメリカの黒人に対する差別や暴力に抗議する運動の合言葉で、２０１４年8月に発生したミズーリ州ファーガソンでの白人警官による18歳の黒人男性への射殺事件を契機に全国的な抗議運動として広がっていった。その言葉の意味は「白人と同じように黒人の命にも意味がある」というものだ。

２０２０年９月、テニスの全米オープンで優勝した大坂なおみ選手が黒人差別に反対して、試合ごとに犠牲者となった黒人犠牲者の名前が入ったマスクを付けて試合に臨んだことも記憶に新しいと思う。それほどまでにアメリカ社会における黒人差別は根深いものがあり、警察官による差別的行為に抗議をするのはある意味、当然だともいえる。

そもそも、「ブラック・ライヴズ・マター」は、非暴力的な運動であった。しかし今回の一連の抗議運動に関しては、それをあおり立てて暴動を誘発させていった勢力がいた。そのあおりを受けて、新型コロナウイルス騒動や経済的困窮への不安や不満に対するはけ口として、一般市民までもが暴動に荷担していくことになったのだ。

さらに、左翼団体「アンティファ（Antifa）」が全米各地で反体制デモを繰り広げた結果、アメリカの奴隷制度を象徴する歴史的な銅像が引き倒されたり、さらには白人警官による黒人男性の射殺事件が新たに起こり、暴動が加速したりした。「ＡＣＬＥＤ（Armed Conflict Location & Event Data）」というアメリカのＮＧＯ組織の集計によると、２０２０年５月26日から９月５日までの間にアメリカ国内で１万２０４５件の暴動や事件が発生し、プリンストン大学の最新のデータによると、9月時点でアメリカの50の大都市のうち44都市で暴動が起きているという。

トランプ前大統領もこのような暴動を理由に実質的な戒厳令を敷き、暴徒化する市民への対抗措置として予備軍を配備しただけでなく、ツイッターに「略奪は射殺につながる（looting leads to shooting）」とのコメントを投稿して警告を発したりもした。

それにもかかわらず、２０２０年７月にはオレゴン州の最大都市ポートランドで、デモ隊が州政府や市の支持を得てワシントンＤＣから派遣された連邦治安部隊と24時間体制で対峙したこともあった。

このような事態を見ても、アメリカはもはや内戦状態という以外、表現のしようがない。アメリカ国防総省（ペンタゴン）の情報筋によると、アメリカでは一時、１日に１０００人以上のデモ隊や警官らが命を落としている状況だったという。当然、治安は悪化していくばかりで、イリノイ州の最大都市シカゴでは殺人発生率が例年の５倍にも上昇しているという報告までなされている。

アメリカ政府に反抗して実質的な独立区を誕生させようという動きまであった。それはアメリカ西海岸のシアトルに誕生したＣＨＰＯ（もしくはＣＨＡＺ）と呼ばれる「独立区」のことで、独自の通貨やＩＤなどを導入し、化学兵器を有する武装集団まで組織されていたという。このような動きもまさにアメリカ政府の力が弱まり、統治すらできない状態になっている証拠だといえる。

まさにアメリカは今、実質的に内戦状態にあり、これから何が起きてもおかしくない状況なのだ。

「グラディオ作戦」に仕組まれた全米の暴動

先にも述べたが、全米各地に広がった今回の暴動は、それを誘発させている勢力がいる。結論からいうと、その勢力こそがハザールマフィアを筆頭とする欧米の旧権力者である。彼らは新型コロナウイルスによるパンデミック騒動に続いて人種差別暴動を全米で発生させることで大衆の分断を図り、自分たちに都合のいい社会に導こうとしている。

ただし、事態がより複雑になっていくのだが、この暴動を誘発しているもう一つの勢力として中国の力が陰で働いていることも確かのようだ。それはアメリカそのものを攻撃し、アメリカの崩壊を助長させようとしているからに他ならない。

そもそも「ジョージ・フロイド事件」にしても、黒人たちの暴動を誘発するために仕組まれたものではないかという噂さえある。

地元メディアやイギリスのBBCなどによると、被害者の黒人男性と加害者の白人警官は、2019年末まで同じナイトクラブで警備員として働く同僚であったことが元雇い主の証言で分かっている。また、被害者の黒人男性についてもポルノではあるが俳優経験者であることが暴露されている。これらはすべて、たまたまの偶然なのだろうか。

さらに、ミネソタ州知事によると、死亡事件に対する抗議の暴動で逮捕された人間のうち8割がミネソタ市民ではなかったという。つまり、デモ要員を動員して暴動を扇動した可能性が高い。

また、ミネアポリスの別の警察官がハンマーで建物を破壊して可燃物を投げ込んでいる映像が地元住民によってSNS上に拡散されもした。これはデモ隊が暴徒化しているように見せるために、警察当局が陰で動いていたという証拠でもある。わざと暴動をあおることで、当局の「暴力による市民への弾圧」を正当化しようとしたのだ。

しかも抗議活動が激化する最中、アメリカ各地で警官が黒人を殺しても無罪になっている事案が公表されたことも、すべて人種差別暴動を起こすための工作と見て間違いない。

イスラエル諜報機関のモサド筋によると、ミネソタの「ジョージ・フロイド事件」から全米各地で起こった暴動を陰で操っている司令部の一つは、カナダのバンクーバーにある似非(えせ)ユダヤ団体「悪魔崇拝シナゴーグ」だという。バンクーバーの人口の約4割が中華系であることから推測すると、中国の工作員がお金を使ってアメリカ国内の暴動を扇動している可能性もある。2019年6月から始まった香港の反政府デモにおいて、ハザールマフィアのCIAが工作員を使って暴動を扇動したことに対する報復と考えられるからだ。

とはいえ、ハザールマフィアはさらに巧妙だ。

彼らの謀略活動に「グラディオ作戦」というものがある。米ソ冷戦時代に体制側だったハザールマフィアが反体制側をつぶすために行った謀略で、冷戦終結後にその陰惨な手口が明るみになった。

例えば、1970年代前後から1980年代にかけて、ヨーロッパで共産主義政党が大きな勢力となった。体制側は、台頭する左翼政党をつぶすために、わざと共産主義に味方するニセ左翼の過激派をつくった。さらに内紛を装って左翼政治家を殺害し、一般市民を巻き込んだ無差別テロを行い、世間からの反発を誘導した。これらの作戦は成功し、世論は反共産主義に導かれ、左翼主導者も殺害されたことで、左翼政党の拡大を防ぐことができた。

このグラディオ作戦は日中戦争当時、満州などの中国本土で日本軍が行っていた謀略と同じである。日本軍のスパイが中国の暴力団などを煽動して馬賊をつくり、町を襲って悪事の限りを尽くして世論の反発を盛り上げる。仕上げに自分たちでつくった馬賊を成敗し、大陸に進出した日本軍を正当化させようとしたのだ。

全米で勃発する市民暴動は
巧妙に仕組まれた「ヤラセ」

ミネアポリスで白人の警察官に膝で首を押さえ続けられて黒人男性が死亡した「ジョージ・フロイド事件」（写真右）を発端として全米各地で抗議デモが広がった。しかし、この事件は暴動を誘発するために仕組まれたものという声もある。同じくミネアポリスで警察官がハンマーで建物を破壊して暴動を扇動する様子が撮影され、物議をかもした（写真左）。

（出所）Twitter より

最近でも中東におけるイスラム過激派組織のＩＳＩＳやアルカイダの活動は、じつはアメリカを支配しているハザールマフィアが陰で資金を渡して支援していたことが分かっている。ＩＳＩＳやアルカイダが暴れれば暴れるほど、これを鎮圧するためという名目で軍を派遣する正当性が生まれ、そのことによって中東の石油を奪い取ろうとしたのだ。

２０１７年に出版されたエドワード・クラインの暴露本にも「アメリカの過激派組織とＩＳＩＳとアルカイダの共謀が発覚した」というＦＢＩの衝撃的な調査レポートの内容が詳細に書かれている。これによると２０１７年にドイツで開催されたG20サミットの際にも、アメリカの過激派組織がＩＳＩＳとアルカイダと連携してトランプ前大統領を標的にしたテロを計画していたという。もちろん、これらの団体の資金源はすべてハザールマフィアだ。

つまり、ハザールマフィアは自分たちの利益のためには手段を選ばず、巧妙な仕掛けをしてくるということだ。現在、アメリカで起こっている内戦ともいえるような暴動も、じつはハザールマフィアが仕掛けた手の込んだグラディオ作戦なのである。

金で操られた抗議運動「ブラック・ライヴズ・マター」

現在、アメリカで起こっているデモや暴動がハザールマフィアの煽動によることはさまざまな事実からも分かっている。

黒人差別反対運動のブラック・ライヴズ・マターは建前としては非暴力をうたっているものの、2020年5月26日から9月5日までにアメリカで発生した暴動事件の95%にブラック・ライヴズ・マターの活動が関わっていたことが報告されている。

そもそも黒人差別に反対する運動なのに、そのデモに参加している抗議者のうち、当事者であるはずの黒人は6人に1人で、全体でたった17%しかいないことがアメリカのシンクタンク「ピュー研究所」の調査で判明した。つまり、ブラック・ライヴズ・マターの実態は白人で構成されている「インチキ人権団体」そのものだったのだ。

さらに、全米の暴動を陰で操っている司令部の一つは、カナダ・バンクーバーにある似非ユダヤ団体「悪魔崇拝シナゴーグ」だという情報を先に紹介したが、その資金源を調べていくと、ハザールマフィアとの関係が色濃く見えてくる。その一つが「アクトブルー」というアメリカ民主党のオンライン献金を推進する政治団体の存在だ。これはハザールマフィアが支援している団体だが、ブラック・ライヴズ・マターに寄付すると、その「アクトブルー」に資金が移動することが暴露されたのだ。

ブラック・ライヴズ・マターに続いて活動を激化させている白人系左翼運動のアンティファにしても、ペンタゴンの情報筋によると、やはりカナダの悪魔崇拝シナゴーグ経由で流れ込んだ中国系マネーが大きく貢献しているという。

さらに、ブラック・ライヴズ・マターやアンティファなどが行っている暴動工作やマスコミを使ったプロパガンダ工作などの資金は、フォード財団経由でアメリカ政府から出されているという情報もある。フォード財団とはアメリカの自動車メーカーであるフォード・モーターを創設したヘンリー・フォードとその息子のエドセル・フォードが１９３６年に設立した財団で、アメリカ国家安全保障局（ＮＳＡ）の情報筋によると、ハザールマフィアはこの財団を利用して、アメリカ政府から資金を流しているというのだ。

また、ソロス財団から資金が流れているという情報もある。ソロス財団とは第2章でも述べたとおり、新型コロナウイルスの製造に深く関わっているハザールマフィアの代理店的な役目をしているところだ。実際問題として、元下院議長のニュート・ギングリッチがソロス財団と全米で展開されている暴動の関連性についてテレビ番組の中で触れたところ、いきなりその番組から降板させられるという事態も発生している。

とにかく、フォード財団にしろ、ソロス財団にしろ、どちらにしてもハザールマフィアが全米各地に暴動と混乱を引き起こすために暗躍していることは確かなようだ。

さらに暴動だけではなく、アメリカ国内での放火も相次いでいるが、これもハザールマフィアの意を受けた工作員が煽動している破壊工作の一つである。

特にアメリカ西海岸に位置するカリフォルニア州は2020年、過去最悪の山火事に見舞われた。カリフォルニア州で山火事が発生するのは毎年のことだが、2020年は隣接するオレゴン州までもが緊急事態に陥り、8200件あまりの火災が発生し、少なくとも30人以上が死亡、その被災面積は2020年10月の時点で約1万6000平方キロを超え、過去3年間の合計を上回るほどの大きさになっている。

この山火事に関しても、すでに多くの人間が放火容疑で逮捕されているが、第3章でも述べたオーストラリアの山火事と同じように、電磁波兵器による放火の証拠映像も続々とネット上に投稿されている。興味のある人は検索してみてほしい。

過激派組織「アンティファ」を米ロ合同部隊が攻撃

このようにハザールマフィアはあの手この手を使って人心を惑わし、社会を分断させようと躍起になっている。これに対してアメリカ軍の良識派を筆頭とする反ハザールマフィアが反撃を開始していることも確かなようだ。

すでに暴動や放火に何かしら関わっていた人間が1万人以上逮捕されており、ブラック・ライヴズ・マターやアンティファなどの破壊活動に対しても500人以上を対象に刑事捜査が開始され、団体幹部らの資金源を中心に捜査が行われているという。さらにハザールマフィアが巣食うワシントンＤＣにも捜査の手は伸び、オバマ政権時代の政府幹部数十人に召喚状が出ている他、さらなるハザールマフィア司令部の逮捕を狙って捜査が続いている。

特にハザールマフィアが放った過激派組織アンティファに対しては、ロシアのエリート暗殺部隊がアメリカ国内に入り、アメリカ軍の特殊部隊とともに、その上層部の暗殺を遂行しているという情報もある。

また、実際に暴動を抑制したことも分かっている。

悪魔崇拝グループのハザールマフィアたちは、悪魔の数字である「６」に異様にこだわる傾向が強く、毎年６月６日前後に何かしらの行動をとって社会を混乱に陥れようとする。

２０２０年６月６日には、ホワイトハウス周辺に人種差別や警察暴力に抗議する数万人の民衆が集まり、一触即発の状態にまでなった。ハザールマフィアの大手マスコミも盛んに煽動的な報道で民衆を刺激していったのだが、この謀略活動に対してアメリカ軍は冷静に対処し、武器を持って乗り込むようなことはしなかった。

もしも武器を持って現場を鎮圧するようなことになれば、いっそう暴動が激化することが分かっているからだ。現場にいた予備軍の部隊も武器を持たず、ヘルメットもつけていなかったために、ハザールマフィアが画策していた１００万人規模のデモには至らず、結局、１万人にも満たない小規模で平和的なデモで終わった。これはアメリカ軍の冷静な判断があったからに他ならない。

とはいえ、アメリカ軍の良識派が目に見える形で、すぐにハザールマフィア勢力を一掃するような本格的な行動を開始するかといえば、そうではない。なぜならアメリカ軍が今、動けば、市民の反発が起こることを体験的に知っているからだ。

それは歴史を見れば分かる。過去に世界中で軍事政権が誕生しているが、必ずといっていいほど市民の反発を招いている。軍の当事者にしても、反発する市民の中に自分の家族がいるかもしれない。そこに向かって銃を発射することはためらわれる。

しかし、アメリカの内戦状態ともいえる混乱が今後いっそう激しさを増し、食料難も深刻化して平穏な社会生活を送ることができないような最悪の状況になったとき、これを救うべくアメリカ軍が立ち上がれば、市民はどう思うだろうか。熱烈に歓迎するだろう。アメリカ軍はそこまで考えている。まさに「逆グラディオ作戦」だ。

それゆえにアメリカやイギリスの諜報関係者からの情報によると、アメリカ軍はわざとアメリカ国内の状況が悪化するのを待っているのだという。大統領選挙が終わった今、さらなる混乱が深刻化した場合、いつでも行動を起こせるようにアメリカ軍はすでにその準備を整えているともいう。

アメリカ軍がトランプから離れていった理由

そもそもアメリカ軍はハザールマフィアの手先であり、CIAとともに実行部隊として利用されてきた歴史がある。それが劇的に変わっていったのは2001年9月11日の同時多発テロ事件であり、2011年3月11日の日本における東日本大震災である。

これら二つにハザールマフィアが関わっていることは、メルマガや過去の著作物で私は何度も触れてきた。簡単に説明しておくと、2001年9月11日の同時多発テロ事件はイスラム過激派テロ組織のアルカイダによる犯行だとされているが、じつはアメリカの自作自演であることが分かっている。

ハザールマフィアの支配するアメリカはドルを国際基軸通貨にするため、その裏付けとなる金（ゴールド）をアジア王族に提供してもらった。その借りた金は2001年9月12日までに返還する約束だったが、アメリカはそんな金を持っていなかった。そこで、その約束を反故（ほご）にするために、その前日の11日、返還手続きを行う予定になっていたニューヨークの貿易センターの一室をビルごと爆破してしまったのだ。

さらに2011年3月11日に起こった東日本大震災は、ハザールマフィアによる「核・津波テロ」だった。当時、日本はアメリカからの自立を目指す民主党が政権を取っており、このままアメリカから独立することになればハザールマフィアの利益が損なわれる。そこで、イスラエルのベンヤミン・ネタニヤフ首相の命令によって、海底に埋め込まれた核爆弾と原子力発電所に秘かに持ち込まれた小型核爆弾を爆発させた。そのことによって津波が起き、福島の原子力発電所が制御不能に陥ったのだ。

これらの大事件の根底にあるのは、第3次世界大戦を勃発させたいというハザールマフィアの考えがあることはいうまでもない。彼らは現在の人口を9割まで削減し、残った者たちを家畜として扱い、自分たちが完全なる支配者として君臨することを目指している。

しかし、このようなハザールマフィアの思想にいち早く危機感を抱いたのが軍事関係者だった。特に核爆弾を保有するアメリカとロシアの軍の良識派は、「もしも第3次世界大戦が勃発したらどうなるか？」というシミュレーションを何度となく行った。その度に、核戦争にまで発展した場合、「人類の9割が消滅し、北半球に人が住めなくなる」という結論に達した。そのためにアメリカ軍とロシア軍の司令部は、「どんなに挑発されたとしても第3次世界大戦には突入しない」と互いに固い約束を交わしているのだ。

ところがアメリカの場合、政府はワシントンDCに巣食うハザールマフィアの支配下にあり、金融システムを司るFRBも同様にハザールマフィアに押さえられている。アメリカ大統領も彼らの雇われ社長にすぎない。

それでも第1章で触れたとおり、2016年の大統領選挙では変化が起きた。ハザールマフィアの支援するヒラリー・クリントンが落選したのだ。もともとヒラリーが国民に人気がなかったことや、アメリカ軍の良識派がヒラリーよりはハザールマフィア色にまだ染まっていないトランプの方がましだと判断したことが、トランプを大統領の座まで押し上げた。アメリカ軍の良識派は消極的な理由ながらもトランプを支援し、ハザールマフィアからの攻撃からも守ってやった。

しかし、当初はトランプを支援していたアメリカ軍も次第に離脱していった。そのことはトランプ政権の閣僚に就任した軍人出身者たちが次々に辞めていったことでも分かる。国防長官を務めたジェームズ・マティスを筆頭に、国土安全保障長官と大統領主席補佐官を務めたジョン・フランシス・ケリー、国家安全保障問題担当大統領補佐官を務めたH・R・マクマスターなどがそうだ。

さらに、アメリカ軍とトランプの関係が悪化していったことは一般のニュース報道でも確認できる。2020年9月、アメリカの老舗雑誌・アトランティックがトランプの「軍人に対する侮辱的な発言」に対してアメリカ軍関係者が非難する記事を掲載し、反響を呼んだ。

その発言とは、トランプが第1次世界大戦の戦死者を「Losers（負け犬ども）」、「Suckers（だまされやすい人々）」などと呼んで侮辱したというものだった。これについてトランプは「フェイクニュースだ」と猛烈に否定したが、現役のアメリカ軍幹部らに対して次のような公然とした批判の言葉を投げかけていたことも分かっている。

「私は軍にあまり好かれていない。兵士はともかく、ペンタゴンのトップたちはおそらく私のことが気に入らないのだろう。彼らは戦争をしたくて仕方がないからだ。戦争を起こせば爆弾や航空機、その他もろもろの兵器をつくる素晴らしい企業を喜ばせることができる」

さらにトランプは、そうした自分に対する批判的な記事が出たことについて「冷酷なグローバリストが次々と裏切った」ことが原因だと本音を漏らしている。

アメリカ軍はトランプから離れていったが、即座に大胆な行動に出ることはなかった。それは先に述べたとおり、アメリカ軍は「その時」を待っているからであり、第1章でも触れたように、大統領選挙の結果を待って、バイデン新大統領をハザールマフィアが支配するアメリカ政府の「最後のアメリカ大統領」にしようと考えているからでもある。

結局、アメリカの混乱は今後もしばらくは続くだろう。

アメリカを立て直すためには、アメリカを破綻させた膨大な国債の債務を、ＦＲＢを支配しているハザールマフィアに押し付けて借金を帳消しにし、ドルに代わる新しい通貨を財務省から発行するしかない。それと同時にアメリカ全体の未来の経済を企画する専門機関も立ち上げ、インフラと産業の立て直しを図って、それに対する予算もしっかりと付けていく。これ以外にはアメリカ経済の復活は望めないし、アメリカを再建する方法はないだろう。

だが、ハザールマフィアが君臨している限り、それは無理なことだ。とはいえ、新型コロナウイルスをばらまかなければならないほどにハザールマフィアが追いつめられていることは確かであり、ハザールマフィアに代わる新しい勢力が台頭しつつあることも事実だ。

もしも新しい勢力が権力の座からハザールマフィアを追い出すことに成功すれば、バラ色の素晴らしい時代が訪れることになるのは間違いない。

追いつめられたハザールマフィアの実態と、これに代わろうとする新しい勢力については次章から詳しく述べることとする。

第5章

世界の権力を独占する「闇の支配者」の正体

「13血族」と「グノーシス派」の暗闘

世界を闇から支配する「ハザールマフィア」

ハザールマフィアが新型コロナウイルスをばらまき、世界中でパンデミック騒動をでっち上げたのは、それほどまでにハザールマフィアが追いつめられていたからだということを第2章で述べた。

それでは、もともとハザールマフィアとは歴史的にどんな勢力だったのか。

私の過去の著作物を読んでいる方ならすでにご承知だとは思うが、初めて私の本を手に取ったという方もいるかもしれないので、ここで改めて説明しておきたい。歴史を見ることで、現在の権力構造を分かりやすく読み解くことができるからだ。

そもそも私が「ハザールマフィア」というように「マフィア」に「ハザール」という言葉を付けて呼んでいるのは、彼らが「ハザール」の思想を強固なまでに受け継がいているからである。ハザールとは7世紀から10世紀にカスピ海や黒海周辺で栄えた奴隷商人の国家のことで、その国の基礎となったのが悪魔信仰だった。

ハザールが国として信仰していた悪魔信仰は、ひと言でいえば「神よりも上位にある悪魔を崇（あが）め、人間を家畜のように奴隷として扱う」というものだった。

ハザールの支配層はその悪魔信仰に基づいて、自分たち以外の人間を家畜として扱い、国を繁栄させていった。しかし、11世紀にロシアとビザンツ帝国の同盟軍に攻め込まれ、ハザールの国家そのものは滅亡してしまう。

しかし、その悪魔信仰は脈々と受け継がれていく。特に17世紀になって登場したサバタイ・ツヴィというトルコ出身のユダヤ人の役割が大きかった。

サバタイは自らを「ユダヤ教の救世主である」と説き、急速に信者を獲得して、その数を100万人以上に膨らませていった。しかし、サバタイの思想を危険視したトルコの皇帝に彼は逮捕されてしまう。死刑かイスラム教に改宗するかを選べと迫られたとき、サバタイはあっさりとイスラム教に改宗する。だが、それは見せかけのことだった。サバタイはユダヤ教からイスラム教に改宗しても悪魔信仰だけは捨てず、それどころかイスラム教の内部に入り込み、イスラム教を乗っ取ろうと画策したのだ。

サバタイの死後も彼の信者だった勢力が同じような方法を用い、他の宗教や組織に潜り込んでは乗っ取りに成功していく。

彼らの目的は一神教であるユダヤ教やキリスト教、イスラム教の統一であり、世界を自分たちの勢力の支配下に収めることにあった。その根本的な考えにあるのは「自分たち以外の人間を家畜のように奴隷として扱う」という悪魔信仰であった。

そして、この悪魔信仰の思惑がイギリス王室をはじめとするヨーロッパ貴族にも受け継がれていき、その中から世界の金融を支配することになるロスチャイルド一族が生まれることになる。

さらにロスチャイルド一族やヨーロッパ貴族の利益を守ると同時に、自分たちの石油利権を守るためにロックフェラー一族がこれに加わる。そして、アメリカの情報機関であるＣＩＡを支配することでブッシュ一族がこの流れに荷担して、ついにはブッシュ親子がアメリカ大統領の地位まで射止めることになる。

こうして私のいう「ハザールマフィア」が強固な存在として形づくられていった。アメリカ政府や中央銀行の役割を担うＦＲＢを押さえ、国際基軸通貨のドルを利用して世界経済を支配していった。挙句には、さらなる富を独占しようと第3次世界大戦を勃発させる策略まで実行しようとしているのだ。

ちなみに、「はじめに」でも触れたようにハザールマフィアの数は７００人程度しかいない。世界の富の82％を世界の人口の１％に当たる富裕層が独占しているという報告書が発表されているが、ハザールマフィアはその富裕層のさらに上位を占めている。彼らは財団などをつくって個人資産を隠したり、自分たちは表に出ないで陰で政治家や資本家などを操ったりしながら、これまで世界を支配してきた。いわば「闇の支配者」ともいえる存在なのだ。

欧米支配階級の最高峰「13血族」と「グノーシス派」

このようなハザールマフィアの勢力を考える上で、欧米支配階級の最高峰では現在に至るまで、二つの対立する権力の紛争が続いていることも見逃してはいけない。その対立する二つの権力とは、「古代から欧米文明を支配してきたと主張する13血族」と「世襲制に反対し、能力主義を主張するグノーシス派」である。

まず、欧米文明を支配してきたと主張する「13血族」から説明しよう。この血族は、「旧約聖書に登場する古代イスラエルの王ダビデの血筋（女系）」と「共和政ローマ（後のローマ帝国）のカエサルの血筋（男系）」の末裔（まつえい）で構成されている。

ちなみに、「ダビデ」について百科事典などで調べると、以下のようなことが書いてある。

「羊飼いから身をおこして、初代イスラエル王サウルに仕える。サウルがペリシテ人と戦って戦死したのちにユダで王位に就く。ダビデはペリシテ人を撃破し、要害の地エルサレムに都を置いて古代イスラエルの王となり、40年間、君臨した」

重要なのは、ダビデが羊飼いだったということ。つまりは遊牧民だったということだ。

じつはこのことが、13血族といわれる欧米支配階級における「人間牧場を管理する」ための帝王学の起源となっている。この考えは「自分たち以外の人間を家畜のように奴隷として扱う」というハザールマフィアの悪魔信仰と同じものである。

ダビデの血筋である女系・13血族の暗躍の歴史は、新バビロニア王国によるユダ王国の侵略、つまり多くのユダヤ人が捕虜として連行された「バビロン捕囚」にまで遡ることができる。

このとき、イスラエル王国（ユダ王国と北イスラエル王国に分裂する前の王国）のかつての王・ダビデの男性子孫は一人残らず殺害された。それを機に、ダビデ王の家系を取り巻いていた側近たちはダビデの血を絶やさぬよう、戦略的にダビデの女性子孫を近隣やヨーロッパの王朝へと嫁がせた。そして、国王の妃となった女たちがその子供たちに教育を施す（ほどこ）ことによって、その裏にいるダビデの末裔たちが各国の最高権力内部へと浸食していった。そうしたことが何千年もの歴史の中で繰り返されて現在に至っている。

これが欧米を支配する13血族の女系側のルーツである。ヨーロッパやアジアを含め、世界中のほとんどの王族が多かれ少なかれこの血筋を引くことになった。

ちなみに、その国の王族の旗にユダヤのシンボルであるライオンのモチーフがあれば、ダビデの血を引く末裔であることを意味している。この一派はスコットランド系フリーメイソン経由で多大な影響力を現在まで発揮している。

一方、男系の13血族は「共和政ローマのカエサル」がルーツになっている。

カエサルは「賽（さい）は投げられた」や「来た、見た、勝った」などの名言で知られる、共和政ローマ末期の政治家・軍人である。ガリア人との戦争に勝利した他、クレオパトラが君臨するエジプトも支配下に治めて、共和政ローマの実質的な支配者になった。しかし、「ブルータス、お前もか」という言葉を残して側近に暗殺されてしまう。その後、カエサルの姪の子であるアウグストゥスが彼の遺産と業績を相続し、初代ローマ皇帝となる。

ローマ帝国はその後、東西に分裂するが、１４４３年にオスマン帝国に滅ぼされるまで続いた。このカエサルの血が13血族の男系側のルーツというわけである。

王族の旗に鷲のモチーフが描かれていればカエサルの末裔であることを意味する。また、第2章で述べたP3ロッジもカエサルの末裔であると自称している。

以上、このような「旧約聖書に登場する古代イスラエルの王ダビデの血筋（女系）」と「共和政ローマのカエサルの血筋（男系）」の末裔で13血族は構成されている。その血統の正しさを主張し、その正しさゆえに、彼らが崇める「神」から人類を支配するように申しつかったのだと信じている。この信条を自分たちの帝王学とし、正当化し続けている。21世紀の現在においてもヨーロッパはこの13血族の支配下にあるといっていい。

そして、この13血族こそ、ヨーロッパにおけるハザールマフィア勢力の最高位に位置づけられている存在でもあるのだ。

グノーシス派が目指す「能力主義の革命」

血筋を重視するということは、世襲制による血族支配を認めるということでもある。このような世襲制を認める13血族に一貫して反対してきたのが「グノーシス派」だ。彼らは世襲制を排除して能力主義を強く主張しているのが特徴である。

また、彼らは自分たちを「イルミナティ」とも呼んでいる。もともと、イルミナティとはイエズス会の修道士だったインゴルシュタット大学教授のアダム・ヴァイスハウプトが1776年に創設した秘密結社のことだと表向きにはいわれているが、ここでいうイルミナティとは権力者たちの最高峰の結社というような意味で、13血族も自分たちのことをイルミナティと呼んでいる。

この「グノーシス派イルミナティ」の起源も13血族と同じように古く、「アトランティスの時代（ミノワ文明）まで遡る」と自称している。

実際に確認できるのは紀元前582年から496年に活躍したピタゴラスをはじめとするギリシアの哲学者たちで、彼らによって独自の思想が伝えられ、紀元後330年に弾圧を受けた後も、脈々と後世へと受け継がれていった。弾圧された際に彼らは地下に潜り、歴史の表舞台からは消えるが、その思想はゲーテやヘーゲル、ライプニッツ、ニーチェ、ユングなどなど、哲学者や科学者などに継承され、現代においても大きな影響力を残すことになる。

この一派が大きく影響を及ぼしているものにフランス系の「グランド・オリエント・ロッジ」がある。このロッジ（支部）は、他のフリーメイソンのロッジと違って、一神教という縛りがない。これは現在もグノーシス派と連携している証拠でもある。第2次世界大戦直後に日本を占領下に置いたGHQの最高司令官ダグラス・マッカーサー元帥もこのロッジに入会していた。

また、グノーシス派は、フランス革命やアメリカ独立革命、ロシア革命を引き起こした組織だと自負している。つまり、13血族が築いた権力を打ち倒し、能力主義を基本とした近代社会をつくり上げてきたという誇りがあるのだ。

そして、このグノーシス派が今、アメリカ、そして世界で、「反・血族支配」を目指す革命を勃発させようと暗躍しているのだ。

「ヒトラーの娘」メルケル首相とハノーヴァー家

現在の13血族とグノーシス派の対立を説明する前に、欧米を支配下に置いている13血族の実態をさらに詳しく見ていこうと思う。

そのときに重要となるのが、１８７３年から１９０１年までイギリスの王座にいたビクトリア女王である。彼女は世界各地を植民地化して繁栄を極めた大英帝国を象徴する女王として知られているが、13血族の血筋であるダビデの末裔を自称しているハノーヴァー家の人間でもある。そのハノーヴァー家の旗を見ると、ダビデの血を引いていることを表すライオンが描かれている。また、彼女は現在のイギリス女王であるエリザベス２世の高祖母にも当たる。つまり、現在のイギリス王室のほとんどはハノーヴァー家の血を引いた13血族ということになる。

イギリスの諜報機関ＭＩ６やロシアの諜報機関ＦＳＢに寄せられた情報によると、このビクトリア女王が１８６１年に愛する夫に死なれて未亡人となった後、１８６８年に愛人との間にできた娘をスイスで秘かに出産した。その娘はクララと名付けられたという。

じつは、この女性こそがドイツの第３帝国を築いたアドルフ・ヒトラーの母親だった。この経緯については、下記リンクのサイトに詳しく書かれているので興味のある方はぜひご覧いただきたい。http://www.reformation.org/victoria-and-adolf-hanover.html

そして、ハノーヴァー家の分家となったヒトラーの血脈は、ドイツのアンゲラ・メルケル首相、イギリスのテリーザ・メイ前首相など、今のヨーロッパ権力階級の面々へと受け継がれていくことになる。

このことに関しても若干の説明が必要だろう。ポーランド系の牧師の娘だとされているドイツのメルケル首相がヒトラーの娘であることは、メルケル本人もドイツ政府も認めてはいないどころか、この先も認めるわけはないだろう。表向きには、1945年4月30日にヒトラーは首都ベルリンに攻め込んできたロシア軍の攻撃を前にして地下壕の一室で自殺したことになっている。しかし、ロシア当局を含む多くの情報筋によると、秘かにヒトラーはノルウェーに脱出していた。そこから南米に渡り、そのどこかの過程でヒトラーの精子が冷凍保存されたのだという。そして、その精子を使って生まれたのがアンゲラ・メルケルだというわけである。ロシア当局はその決定的な証拠も握っていると明かしている。

さらに、イギリスのテリーザ・メイ前首相もヒトラーの精子を使って生まれたという情報をロシア当局が伝えている。そして、バルト3国の一つであるリトアニア共和国で2019年まで大統領だったダリア・グリバウスカイテもヒトラーの精子から生まれたという。

メルケルを含めたこの3人が若いころに一緒に写っている写真も残されており、その撮影された場所はイギリスのロンドンにある「タビストック人間関係研究所」という、マインド・コントロールを研究する施設だとされている。この施設はロックフェラー財団によって設立され、13血族を支援するハザールマフィアが自分たち側の人間をつくるべくマインド・コントロールするための研究所となっている。

ちなみに、ヒトラーが目指したのはヨーロッパの統一だったが、その遺志は娘であるメルケル率いるドイツがEUの盟主に君臨する形で実現することになった。

また、EUは2002年に共通の通貨として「ユーロ」を導入したが、これを発行する「欧州中央銀行」もまたハザールマフィアの支配下に置かれていることはいうまでもない。

ハザールマフィアの一員であるアメリカのブッシュ一族の祖であり、第41代アメリカ大統領ジョージ・H・W・ブッシュの父であるプレスコット・ブッシュも第2次世界大戦前からヒトラーの信奉者だったことが分かっている。

現在のフランス大統領であるエマニュエル・マクロンも、ロスチャイルドグループの銀行で働いていた経歴から分かるとおり、ロスチャイルド一族の人間である。だからこそ39歳という年齢にもかかわらず、ハザールマフィアの代理人としてフランス大統領に押し上げられて当選することができたとされる。

このようにヨーロッパでは、ハノーヴァー家の本家であるイギリス王室がいまだに健在であり、そのハノーヴァー家の分家の血筋であるメルケルがまだ権力の座についているばかりでなく、他のヨーロッパ諸国でもライオンや鷲の紋章を掲げるダビデやカエサルの末裔を名乗る王室や権力者、結社がしっかりと権力を握っているのが現状だ。そして、このハノーヴァー家の血筋と深い関係にあるのがハザールマフィアということになる。

ヒラリー・クリントンはロックフェラーの隠し子

13血族のハノーヴァー家の血筋は、アメリカ権力層にも脈々とつながっている。

ヒラリー・クリントンはハザールマフィアの一員であるロックフェラー一族の第3代当主デイヴィッド・ロックフェラーの隠し子だという情報が寄せられている。そして、母親はパメラ・ディグビー・チャーチルだったといわれている。パメラはその名前からも分かるとおり、イギリスの首相だったウィンストン・チャーチルの親族で、ビクトリア女王の娘であるクララとも血がつながっていた。つまり、ヒラリーはハノーヴァー家の血を引いているのだ。

しかもロシアとイギリスの当局筋によると、バラク・オバマ前大統領の母親にも同じくハノーヴァー家の血が入っているという。

そのオバマの後任を決める2016年のアメリカ大統領選挙では、当然、ハノーヴァー家の血を引くヒラリーが勝利するはずだったのだが、これに待ったをかけたのがグノーシス派だった。グノーシス派はハノーヴァー家の血脈を断ち切るべく、負け役として投入されたドナルド・トランプをアメリカ軍の協力のもと、力ずくで大統領に就任させた。

そのためにトランプは大統領に就任して以来、ハザールマフィアが支配する大手マスコミばかりでなく、ハノーヴァー家の血を尊重する13血族派によっても集中攻撃を受けることになった。

例えば、アメリカ議会で反トランプ勢の急先鋒に立っていた民主党ナンシー・ペロシ下院議長はヒトラーの姪であるとの情報が寄せられてきている。強硬な反トランプ勢の一人であるカリフォルニア州の知事ギャビン・ニューサムはこのペロシの甥にあたる。

また、反トランプ勢の民主党アダム・シフ下院情報委員長の妹はジョージ・ソロスの息子と結婚している。ジョージ・ソロスは第2章でも述べたように新型コロナウイルス製造に深く関わっており、ロスチャイルドの番頭ともいわれている人物で、世襲制を重視する13血族を支持している。

しかもソロスの甥はヒラリー・クリントンの娘チェルシーの夫でもある。チェルシーは母親と同じく自分も悪魔崇拝者であることをツイッターなどで発信し、自ら公表してもいる。

さらにトランプのロシア疑惑を追及していたＦＢＩの元長官ロバート・ミュラーは、ナチスドイツの秘密警察ゲシュタポの長官であったハインリッヒ・ミュラーの息子である。ハノーヴァー家の血筋ではないが、その血筋を援護していることは反トランプであることからも分かるだろう。

このようにハノーヴァー家の血筋を中心とする13血族はアメリカの権力階級にも脈々とつながっているのだが、２０１７年にトランプが大統領に就任したことでも分かるとおり、アメリカ内部から解体され始めてきていることも確かなようだ。

しかも、ＮＳＡ（アメリカ国家安全保障局）やＣＩＡの情報筋によると、血筋でつながる古い支配階級の権力者らは、粛清の真っ只中にいるという。

例えば、ハザールマフィアの一員であるブッシュ一族は、世襲を重視する13血族と同じように親子で大統領の座に就いたが、今では完全に表舞台から消えてしまった。イギリスやアメリカの情報局筋からの情報ではブッシュ一族のほとんどの人間は処刑され、もうこの世にはいないという。つまり、アメリカの血族支配体制が崩壊しているのだ。アメリカでは現在、グノーシス派が優勢だといえる。

しかし、ヨーロッパは相変わらず13血族の支配下にあることは確かだ。本来なら西側諸国としてアメリカとヨーロッパのＥＵ諸国は一枚岩のはずなのに、特にトランプが大統領に就任して以来、貿易問題をはじめとして何かとアメリカとヨーロッパが対立してきた背景にあるのは、グノーシス派と13血族との根深い対立があったからに他ならない。

とはいえ、この対立は長くは続かないだろう。13血族だったフリーメイソンの中からＰ３ロッジが生まれ、同じく13血族であるイギリス王室も現在、このＰ３ロッジと連携して、グノーシス派と交渉している最中だからである。

それというのも、13血族がハザールマフィアに対して危機感を抱くようになったからである。ハザールマフィアは同じ悪魔信仰を信奉していながらも、その勢力はますます過激になり、経済だけでなく世界そのものを滅亡に追いやろうとしている。そのためにアメリカ軍やロシア軍の良識派、中国をはじめとするアジアの王族が結束して、ハザールマフィアに対抗する勢力として台頭してきてもいる。

この反ハザールマフィア勢力の結集については第6章で詳しく述べるが、第2章で述べたとおりP3ロッジが誕生したのもハザールマフィアと手を切るためであり、イギリス王室もこのままハザールマフィアに荷担していては自分たちの地位も危ないと危機感を募らせていった。そこで、グノーシス派と交渉して妥協案を探ろうとしているのである。

その具体的な妥協案としては、従来の世襲制による王族支配は長期安定の象徴として残しつつ、実際の政治や経済の運営は能力主義に委ねるという方向になりそうだ。しかし、グノーシス派があくまでも「反・血族支配」を目指すならば、決裂する可能性もあるだろう。両陣営が歩み寄って決着がつけば、混乱している今の欧米情勢も一気に沈静化へと向かうことになる。そうなれば次の段階としてハザールマフィアそのものに対する本格的な攻撃が待っていることは間違いない。逆の言い方をするなら、ハザールマフィアはもうそこまで追いつめられているともいえる。

若返りのために「子供の血」を飲む悪魔崇拝者

13血族をはじめとしたハザールマフィア勢力である欧米の支配階級に共通しているのは悪魔信仰だと述べてきたが、より深刻なのはその悪魔崇拝のために犠牲になっている子供たちかもしれない。

現在、欧米を中心とする世界各地で子供の行方不明事案が重大な社会問題となっている。例えば、FBIが公表する「21歳未満の行方不明者」に関するデータを見ると、アメリカでは2015年の1年間だけで44万2373人の子供が行方不明になっている。そのうちいまだ発見されていない子供の数は4万2032人で、約1割にも上る。

信頼する情報筋によると、少なくともアメリカで行方不明になった子供の一部は、権力者らが行う悪魔崇拝のおぞましい儀式のために連れ去られ、殺されているのだという。その裏付けとなる証拠写真や映像、証言などは以前から数多く出回っている。

その代表的なものが、ヒラリー・クリントンが悪魔崇拝の晩餐会に出席していたことを暴露した記事だろう。これはイタリア国営放送(RAI・イタリア放送協会)の会長マルセロ・

フォアが発信したもので、その証拠映像も見つかっている。

ニューヨーク市警察筋によると、その映像は、ヒラリー最側近の女性であるフーマ・アベディンの別れた夫、アンソニー・ウィーナー元下院議員のパソコンの中に「生命保険（life insurance）」というフォルダ名で保存されていたという。その内容は「ヒラリーとアベディンが少女の顔の皮膚を剥いで、それをお面のように自分たちの顔に被せる。その姿を見せて少女を恐怖に陥れた挙句に、最後はヒラリーとアベディンが少女を殺して、その血を飲む」という凄惨なものだった。

このような事実を前にして、日本に暮らす私たちは他人事だと思ってはいけない。日本でも近年、毎年1万6000人ほどの子供が欧米の権力エリートに提供されているという情報が寄せられているからだ。

悪魔崇拝の儀式において子供を生贄として捧げることが最重要とされているのだが、ハザールマフィアの権力エリートたちが本当に欲しいのは子供たちの「血」だという。

それというのも子供たちの血液から採取される「アドレノクロム」という成分に若返りの効果があるといわれているからだ。しかも、このアドレノクロムは、子供たちに過度の恐怖やストレスを肉体的、精神的に与えることで血中に放出されるのだという。つまり、アドレノクロムを得るために、悪魔崇拝者の権力エリートたちは子供たちを拷問した後、血液を採

若返りのために子供を拷問して血を採取する権力エリート

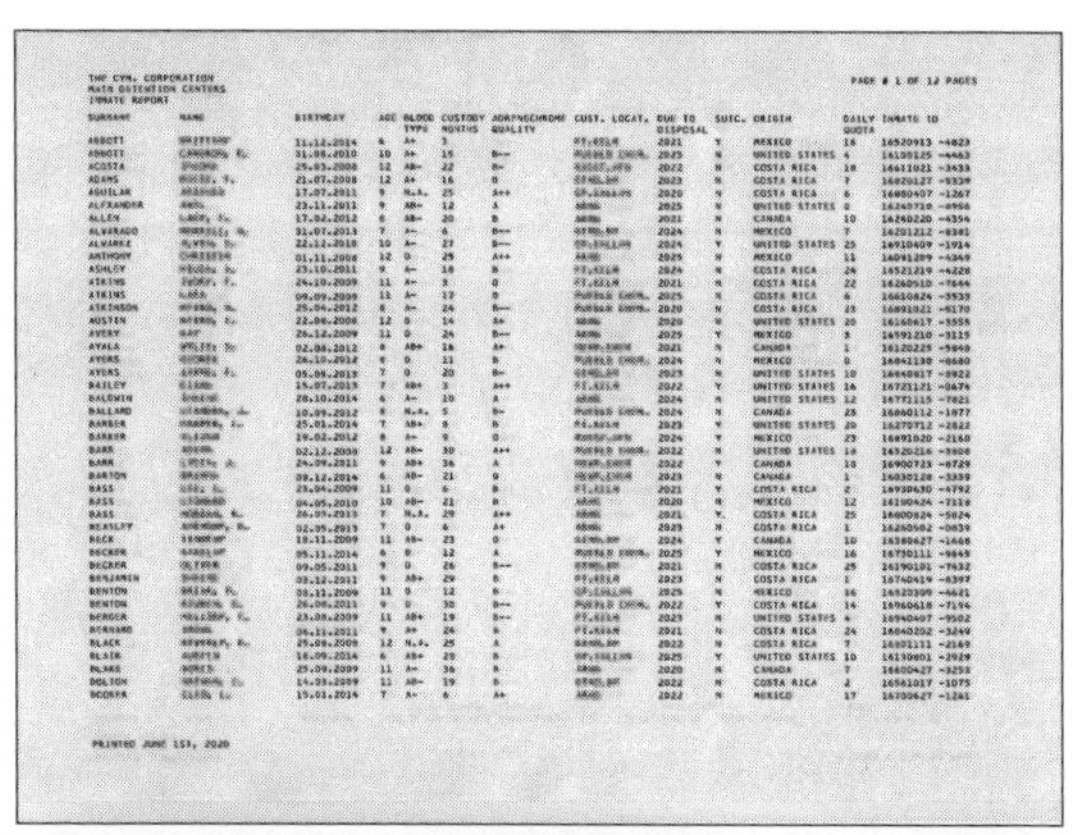

THE CYN. CORPORATION
MAIN DETENTION CENTERS
INMATE REPORT

PAGE # 1 OF 12 PAGES

SURNAME	NAME	BIRTHDAY	AGE	BLOOD TYPE	CUSTODY MONTHS	ADRENOCHROME QUALITY	CUST. LOCAT.	DUE TO DISPOSAL	SUIC.	ORIGIN	DAILY QUOTA	INMATE ID
ABBOTT	[illegible]	11.12.2014	6	A+	3		[illegible]	2021	Y	MEXICO	16	16520913 -4823
ABBOTT	[illegible]	31.08.2010	10	A+	15	B--	[illegible]	2025	N	UNITED STATES	4	16100125 -4463
ACOSTA	[illegible]	25.03.2008	12	AB-	22	B-	[illegible]	2022	N	COSTA RICA	18	16611021 -3433
ADAMS	[illegible]	21.07.2008	12	A+	16	B	[illegible]	2023	N	COSTA RICA	7	16020127 -5339
AGUILAR	[illegible]	17.07.2011	9	N.A.	25	A++	[illegible]	2020	N	COSTA RICA	6	16000407 -1267
ALEXANDER	[illegible]	23.11.2011	9	AB-	12	A	[illegible]	2025	N	UNITED STATES	0	16240710 -0956
ALLEN	[illegible]	17.02.2012	6	AB-	20	B	[illegible]	2021	N	CANADA	10	16240220 -4354
ALVARADO	[illegible]	31.07.2013	7	A-	6	B--	[illegible]	2024	N	MEXICO	7	16201212 -8381
ALVAREZ	[illegible]	22.12.2010	10	A-	27	B--	[illegible]	2024	Y	UNITED STATES	25	16910409 -1914
ANTHONY	[illegible]	01.11.2008	12	0	29	A++	[illegible]	2025	N	MEXICO	11	16091209 -4349
ASHLEY	[illegible]	23.10.2011	9	A-	18	B	[illegible]	2024	N	COSTA RICA	24	16521219 -4228
ATKINS	[illegible]	24.10.2009	11	A-	3	0	[illegible]	2021	N	COSTA RICA	22	16260510 -7644
ATKINS	[illegible]	09.09.2009	11	A-	17	B	[illegible]	2025	N	COSTA RICA	6	16610824 -3933
ATKINSON	[illegible]	25.04.2012	8	A-	24	B--	[illegible]	2020	N	COSTA RICA	23	16891021 -6170
AUSTEN	[illegible]	22.08.2008	12	0	14	A+	[illegible]	2020	N	UNITED STATES	20	16160617 -5555
AVERY	[illegible]	26.12.2009	11	0	24	B--	[illegible]	2025	Y	MEXICO	3	16591210 -3115
AYALA	[illegible]	02.08.2012	8	AB+	18	A+	[illegible]	2021	N	CANADA	1	16120229 -5040
AYERS	[illegible]	26.10.2012	8	0	11	B	[illegible]	2024	N	MEXICO	0	16042130 -0680
AYERS	[illegible]	05.09.2013	7	0	20	B-	[illegible]	2023	N	UNITED STATES	10	16440817 -8922
BAILEY	[illegible]	15.07.2013	7	AB+	3	A++	[illegible]	2022	Y	UNITED STATES	16	16721121 -0674
BALDWIN	[illegible]	28.10.2014	6	A-	10	A	[illegible]	2024	N	UNITED STATES	12	16771115 -7821
BALLARD	[illegible]	10.09.2012	8	N.A.	5	B-	[illegible]	2024	N	CANADA	23	16060112 -1977
BARBER	[illegible]	25.01.2014	7	AB+	8	B	[illegible]	2023	Y	UNITED STATES	20	16270712 -2822
BARBER	[illegible]	19.02.2012	8	A-	9	0	[illegible]	2024	Y	MEXICO	23	16891020 -2160
BARR	[illegible]	02.12.2008	12	AB-	30	A++	[illegible]	2022	N	UNITED STATES	14	16320216 -3808
BARR	[illegible]	24.09.2011	9	AB+	36	A	[illegible]	2022	Y	CANADA	18	16900723 -8729
BARTON	[illegible]	08.12.2014	6	AB-	21	0	[illegible]	2023	N	CANADA	1	16030128 -3339
BASS	[illegible]	23.04.2009	11	0	6	B	[illegible]	2021	Y	COSTA RICA	2	16930630 -4792
BASS	[illegible]	04.05.2010	10	AB-	21	B	[illegible]	2020	N	MEXICO	12	16190424 -7118
BASS	[illegible]	26.09.2013	7	N.A.	29	A++	[illegible]	2021	Y	COSTA RICA	25	16000824 -5024
BEASLEY	[illegible]	02.05.2013	7	0	6	A+	[illegible]	2023	N	COSTA RICA	1	16260502 -0839
BECK	[illegible]	18.11.2009	11	AB-	23	0	[illegible]	2024	Y	CANADA	10	16380627 -1468
BECKER	[illegible]	05.11.2014	6	B	12	A	[illegible]	2025	Y	MEXICO	16	16730111 -9849
BECKER	[illegible]	09.05.2011	9	0	26	B--	[illegible]	2021	N	COSTA RICA	25	16190101 -7632
BENJAMIN	[illegible]	03.12.2011	9	AB+	29	B	[illegible]	2023	N	COSTA RICA	1	16740419 -8397
BENTON	[illegible]	08.11.2009	11	0	12	B	[illegible]	2025	N	MEXICO	16	16520309 -4621
BENTON	[illegible]	26.08.2011	9	0	30	B--	[illegible]	2022	Y	COSTA RICA	14	16960618 -7194
BERGER	[illegible]	23.08.2009	11	AB+	19	B--	[illegible]	2023	N	UNITED STATES	4	16940407 -9502
BERNARD	[illegible]	06.11.2011	9	A+	26	B	[illegible]	2021	N	COSTA RICA	24	16040202 -3249
BLACK	[illegible]	25.08.2009	12	N.A.	25	A	[illegible]	2022	N	COSTA RICA	7	16001111 -2169
BLAIR	[illegible]	16.09.2014	6	AB+	28	B	[illegible]	2025	Y	UNITED STATES	10	16130801 -2929
BLAKE	[illegible]	25.09.2009	11	A-	36	B	[illegible]	2020	N	CANADA	7	16400427 -3253
BOLTON	[illegible]	14.03.2009	11	AB-	19	B	[illegible]	2022	N	COSTA RICA	2	16561017 -1075
BOOKER	[illegible]	15.01.2014	7	A-	6	A+	[illegible]	2022	N	MEXICO	17	16730627 -1261

PRINTED JUNE 1ST, 2020

流出したアドレノクロム採取のデータ（写真上）。子供の氏名、年齢、血液型、アドレノクロムの質などに加えて「処分予定日（DUE TO DISPOSAL)」まで記載されている。ヒラリー・クリントンはアドレノクロムを常用しているとされ、ヒラリーの不自然な若返りや老化を検証する画像がネット上に多数アップされている（写真下）。

（出所）Twitter より

取しているということなのだ。

実際にアドレノクロムを採取するための施設が2020年10月9日にニューヨークで摘発されている。

また、アドレノクロム採取のために繰り返し拷問されていた3歳から12歳までの児童の詳細なデータが記載されている資料も暴露された。そこには氏名、年齢、出生地、血液型、アドレノクロムの質や子供の「処分予定日」までがリスト化されて列挙されている。さらにはアドレノクロム採取に加担している企業や、アドレノクロムを売りさばいている場所などの情報も記入されていた。

とはいえ、いくらなんでも、子供の血に若返りの効果などあるはずがないと思うのが普通だろう。ところが、子供の血を飲むと寿命が延び、老化にともなう病気を予防できることがイギリスの総合大学ユニヴァーシティ・カレッジ・ロンドンの研究によって発表されており、世界的に権威がある科学雑誌・ネイチャーでも取り上げられている。あながち嘘でもないのだ。

しかし、だからといって子供たちを誘拐し、拷問をして血液を採取しようとするのは言語道断だ。しかも、それを実際に行っているハザールマフィアの権力エリートたちは、まさに悪魔そのものだといえる。

子供を生贄に捧げる「性的児童虐待事件」

子供たちを拷問して血液を採取するというハザールマフィアの悪魔的な所業が明らかになるにつれ、犠牲になる子供たちをなんとか守ろうという動きもある。その契機となった一番大きなものは、アメリカの実業家ジェフリー・エプスタインの性的児童虐待事件だろう。

エプスタインは自分が所有する島に欧米のセレブやエリートたちを招待し、未成年の少女たちに性的な行為をさせ、その様子を録画していた。その島には元アメリカ大統領のビル・クリントンやイギリスのエリザベス女王の次男、ヨーク公アンドリュー王子も訪れていることが分かっている。トランプも例外ではなく、エプスタインの自宅で行われたパーティで当時13歳の少女をレイプしていたことが少女本人から告発されている。さらにエプスタインのニューヨークの邸宅からはクリントンの女装姿の肖像画も発見され、公開されている。

ペンタゴン筋によると、エプスタインはハザールマフィアに協力するイスラエルの諜報機関「モサド」の工作員であったという。そして、彼の仕事は、著名な政治家や財界人、俳優などに未成年の少女を斡旋して、その映像を盗撮して脅迫を行うことだった。

ところが、彼が逮捕されたことで、未成年の少女と関係を持ったセレブやエリートの名前ばかりでなく、子供たちを生贄に捧げる儀式の具体的な中身も明らかになるだろうと思われた。そんな矢先の2019年8月10日、拘留されていたニューヨーク州の拘置所内でエプスタインが「自殺」したと発表された。

これは本当に自殺なのか。この件に関してはハザールマフィアによる暗殺説もあるが、CIA筋の情報によると、「エプスタインが司法取引に応じたため、本当は生きているが死亡したことにした」という。

エプスタインの自殺に関しては、その真偽のほどはまだ分かっていない。その後の捜査についても、新型コロナウイルス騒動を理由にして、現在ストップしているのが実状だ。

とはいえ、このエプスタインの性的児童虐待事件を契機にして、アメリカ軍だけでなく政府や警察、司法に携わる良識派たちが動きだしたことは確かである。実際に未成年の人身売買組織や性的虐待ネットワークが次々と摘発されていった。

今回の新型コロナウイルス騒動の渦中、アメリカ宇宙軍内での覇権をめぐって、アメリカ軍良識派とハザールマフィアの手先である守旧派との間で激しい戦闘が起こっていたことを第3章で触れた。じつはこのとき、カリフォルニア州やネバダ州などの軍事施設周辺の地下施設から4万人近くの児童が保護されたという情報も入ってきている。

その子供たちは、ハザールマフィアの権力エリートたちが行う悪魔の儀式に捧げられる生

「エプスタイン事件」で暴かれた セレブ参加の児童売春パーティ

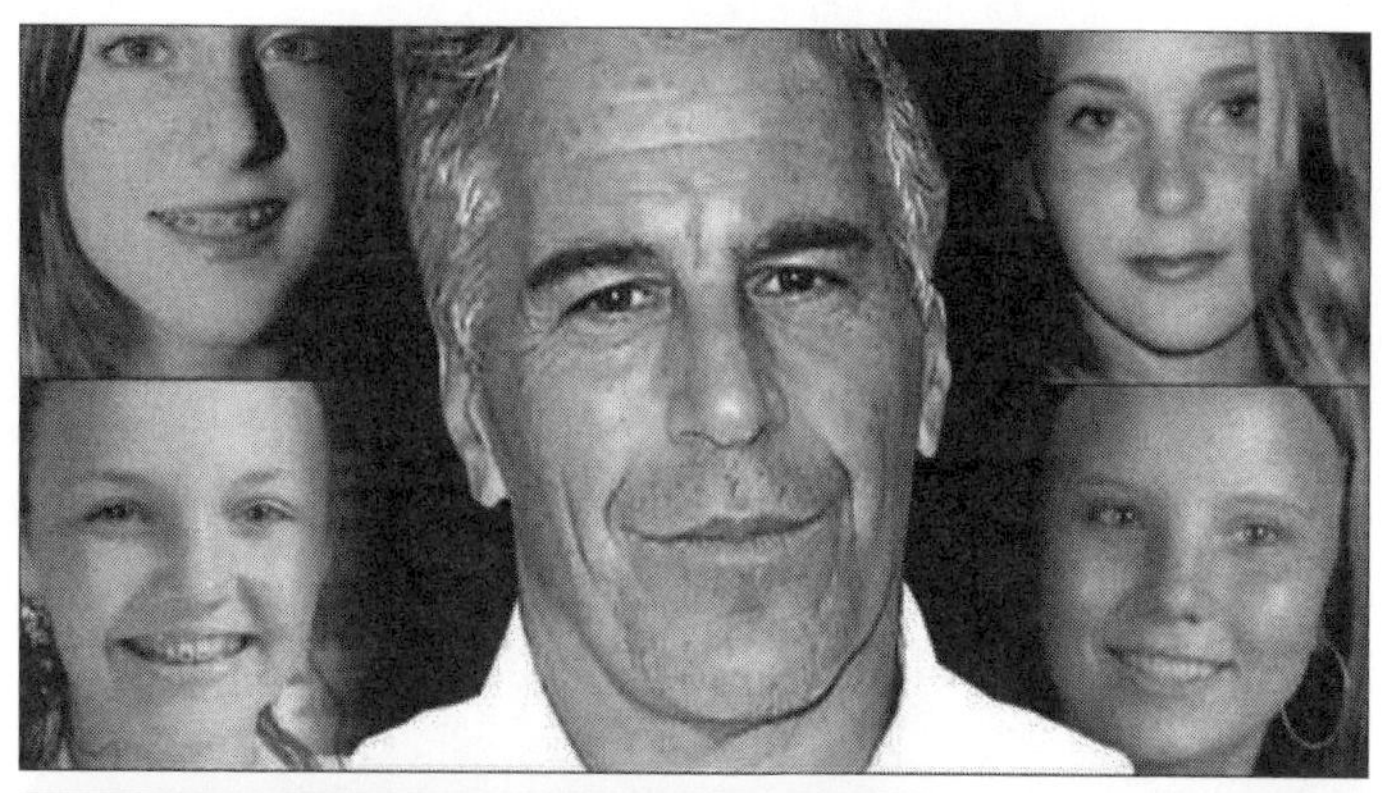

実業家で児童買春の「女衒」だったエプスタインは、カリブ海に所有する島に各界のセレブを招き、児童買春の乱交パーティを繰り返していた。トランプ前大統領も実業家時代にエプスタインのパーティに度々参加している（写真下）。その際、当時13歳の少女をレイプしたと裁判で明かされた。決定的な証拠映像も存在するとされる。

贄として、また、血液を採取するために誘拐されたり、人身売買組織から買われたりして連れられてきたのだった。

盗まれた聖ヨハネ・パウロ2世の聖遺物

アメリカ軍をはじめとした良識派による努力によって、多くの子供たちが救出されるようになった。若返りの成分であるアドレノクロムを入手できなくなったハザールマフィアの権力エリートたちは、現在、混乱に陥り、途方に暮れているという。

２０２０年3月30日、世界保健機構（ＷＨＯ）で健康関連の緊急事態対応を統括するマイケル・ライアン博士が記者会見の場で「家に入って（新型コロナウイルスに感染した）家族を強制的に連れ去る必要がある」と発言し、物議を醸した。会見中の彼の異常な目の様子は、すぐさまネット上でも話題になり、「人間ではない何かに憑依されているようだ」という驚きの声が次々と上がったほどだった。

アメリカ国家安全保障局（ＮＳＡ）の情報筋によると、ライアン博士たちの後ろにいるハザールマフィアの本当の狙いは「一般市民の家に押し入って家族を引き離し、強制的に収容所に連行する」ということであり、その連れ去る対象となるのは主に子供たちだという。つまり、追いつめられたハザールマフィアの権力エリートたちは、新型コロナウイルスを理由にして、なんとしてでも子供たちを手に入れようとしたのだ。まさに世紀末騒動の中の狂気としか思えない。

ハザールマフィアだけでなく、彼らを通してアドレノクロムを入手していたセレブや王族たちの間でも、すでにアドレノクロム不足が深刻になっているように見える。

例えば、歌手のマドンナがコロナ渦の中で「コロナは社会に平等をもたらす」などとコメントし物議を醸した。不安定な精神状態が懸念されただけでなく、その容姿の急激な劣化に驚きの声が上がっている。サウジ王族メンバーの中にも禁断症状で死亡するケースがすでに出ているという。もちろん、これらはすべて表向きには新型コロナウイルスのせいにされているが、はたしてそうなのだろうか。

しかも最近、ヨーロッパで奇妙なことが起きている。フランスやベルギー、ドイツ、スウェーデン、ポーランドなどで「目や耳、性器が切断された上に全身の血が抜かれた馬の死体」が発見されるケースが相次いでいるのだ。これについてフランスの捜査当局は「悪魔崇拝カルトの所業」との見方を強めているという。

同じく奇妙で不可解なニュースとして、2005年に死去した聖ヨハネ・パウロ2世の聖遺物である「血液が入った器」がイタリアの大聖堂から盗まれていたことが発覚している。

聖遺物とは、カトリック教徒が崇拝するキリストや聖母マリアの遺品、または聖人たちの遺骸や遺品のことで、大切に保管され、日々の祭儀でも用いられる。ローマ教皇であったパウロ2世の聖遺物ともなれば、それだけでも畏れ多いものなのに、何者かによって盗まれたのだ。

P3ロッジの情報筋によると、このような不可解なことが近年、ローマ教会の中で数多く起きているのだという。同じP3ロッジの情報筋によると、悪魔崇拝の特別な儀式には、聖人の臓器や血なども用いられるのだとか。ということは、パウロ2世の血も祈りの儀式のために持ち去られた可能性が高い。

ヨーロッパ各地で見つかった「全身の血が抜かれた馬の死体」といい、悪魔を崇拝する権力エリートたちの間で何かが起こっていることは間違いない。それは子供たちを拷問して血液を採取することで得られるアドレノクロムの不足と関連していることも確かだろう。

どちらにせよ、悪魔を崇拝する権力エリートたちは今、相当に追いつめられている。今後、悪魔崇拝のエリートやセレブなどに対する取締りも一層激しくなることが予想されており、実際にネット上には「著名人の逮捕・死刑者リスト」(https://conspiracydailyupdate.com/2020/06/14/indictments-arrests-and-executions-dismantling-the-deepstate-operatives/)などが出回っているほどである。

第6章

新旧勢力が激突！ 新世界へ再編される欧米各国

急変する世界秩序と金融システム

コロナによる経済崩壊でドル離れが加速

ハザールマフィアはアメリカの倒産をごまかし、世界経済を混乱させることを狙って新型コロナウイルス騒動をでっち上げた。しかし、世界経済の崩壊は予想を上回る勢いで加速し、逆に彼らを追いつめてしまった感もある。

特に原油価格は、新型コロナウイルスの感染拡大が影響して、2020年4月20日にはニューヨーク市場のWTI原油先物価格が一時、1バレル＝マイナス40・32ドルにまで下がり、史上初めてマイナスとなった。

この下落の直接の原因は、新型コロナウイルス騒動で経済活動が低下したことで、原油需要の減少に対応するため産油国が減産を検討したが、サウジアラビアとロシアが逆に増産を決定したことにある。

これは石油市場から投機家を排除することが目的の一つだった。石油という実物を取引するのではなく、あくまでも書類上での数字のやりとりだけで儲けようとする、これまでのハザールマフィア勢の投機家や投機機関に対する戦いでもあったのだ。

そして、その根底にあるのは、ハザールマフィアとアメリカが構築した「石油本位制ドル」

への抵抗である。石油本位制ドルとは「石油の売買は米ドルでなければできない」とする国際的な取り決めのことだ。これによって米ドルの発行権を持つハザールマフィアは莫大な利益を得ることができた。

しかし、シェール革命により世界第1位の産油国となったアメリカは、今や石油輸出国にまでなっている。アメリカにとってもはや中東の石油はそれほど重要なものではなくなり、かつてほど石油利権を求めて中東に政治介入しなくなった。

それを好機としたサウジアラビアとロシアは、今回、原油の増産を決定し、石油本位制ドル体制からの脱却を図ったのだ。

つまりはドル離れということである。これまでドルでの取引しか認められなかったものを別の通貨で行うことができるようになれば、それだけドルの価値は下がるということであり、ひいてはドルの発行権を持つハザールマフィアの力も弱まるということを意味する。今回の新型コロナウイルス騒動は結果的にそのドル離れを加速させてしまったのだ。

さらに2020年10月14日に公表された国際通貨基金（1MF）の報告書によると、新型コロナウイルス対策として主要国は計12兆ドルの財政出動に踏み切り、2020年の世界全体の政府の債務が世界のGDPとほぼ同じ程度になると予測している。これだけの債務を今後どう返済するのか、現在、まったく見通しが立っていない状況でもある。

それどころか新型コロナウイルスの感染の第3波が拡大している中、さらなる財政出動が求められる可能性もある。景気が後退すれば税収が減るのは当然で、そんな状況の中で主要国の財政はいっそう危機に陥るだろう。

しかもパンデミック騒動による経済停滞のために数多くの企業が経営危機に瀕している。そうなるとこれらの企業にお金を貸し出している大手銀行も共倒れするのは必至であり、いくら中央銀行がお金をばらまいても助けることができなくなる。そうなれば各国の中央銀行を牛耳って金融システムを支配してきたハザールマフィア自身がいっそう窮地に追い込まれていくことになる。

アメリカ軍撤退で激変する世界秩序

今回の世界経済の混乱は、何も新型コロナウイルスの感染拡大だけが原因ではない。第1の原因は、国際基軸通貨のドルを発行するアメリカが不良債権を山ほど抱えて倒産している状況にある。

アメリカが倒産していることは第4章で述べたが、そのことによってアメリカの力が低下し、それまでの世界秩序も変わりつつある。

すでに兆候はあった。２０１３年９月、当時の大統領バラク・オバマはシリア内戦への軍事不介入声明を発表した際、「もはやアメリカは世界の警察官ではない」と宣言した。

２０１７年に大統領に就任したドナルド・トランプもこの路線を継承しただけでなく、「これまでどおりアメリカ軍に駐在してほしいなら金をよこせ」と恫喝まがいの要求さえ行ってきた。もはやアメリカ軍を同盟国に駐留させるほどのお金は、アメリカにはないことを露呈したのだ。

すでにアメリカ軍はアフガニスタンやサウジアラビア、シリア、イラク、ソマリアなどから撤退を始めている。いずれは韓国からの撤退もありえるだろう。

ハザールマフィアの意を受けた一部のアメリカ軍上層部は、各国からのアメリカ軍の撤退や軍縮の動きを止めるために第３次世界大戦を画策している。しかし、新型コロナウイルスの感染拡大による経済的な疲弊のなか、アメリカは２０２０年７月29日、ドイツに駐留しているアメリカ軍の人員を約１万２０００人削減する計画を発表した。

これを受けてドイツやフランスは、アメリカを見限ったかのようにロシアとの新たな安全保障政策の枠組みをつくろうと積極的に動きだしている。

アメリカ軍が撤退し、アメリカの国家そのものが弱体化したことで、世界各地では今、アメリカの不在によって「空白」が生じ始めているのだ。

そもそも第2次世界大戦後のアメリカは、名実ともに世界最強の国だった。経済活動は世界のGDPの5割を占め、本当の意味で民主主義の法治国家を体現していた。さらにその当時のアメリカは、他の国々に対しても、非常に友好的なイメージが強かった。

しかし、現在に直結するアメリカの「堕落の種」は第2次世界大戦終結の直前、1945年の「フランクリン・ルーズベルト暗殺」のときからすでにばらまかれていたといえる。

第32代大統領フランクリン・ルーズベルトは、世界恐慌を乗り切るためにニューディール政策を推進したことでも有名だが、第2次世界大戦にアメリカを参戦させた後、1944年の大統領選挙に勝ち抜いて、それまで先例のない4選を果たした。だが、1945年4月12日、朝食前に脳卒中で倒れ、そのまま帰らぬ人となってしまう。しかし、それは表向きの歴史で、本当の死因は暗殺だったのだ。

「寄生虫アメリカ」の居場所はもうない

ルーズベルトが暗殺されたのは、彼がアメリカ軍を全面的に縮小・解体して、平和的な世界の構築を目指そうとしていたことが理由だった。彼の暗殺を命じたのはアメリカ産業界の大物たちだ。当時、戦争経済で大儲けをしていた彼らは、ルーズベルトが考える軍産複合体の解体への動きに猛反対していたのだ。

そんな彼らの計画は、1967年に刊行された「アイアンマウンテン報告（Report from Iron Mountain）」で暴露されている。

そのレポートには、「基本的には戦争は国家にとって有益であり、定期的な戦争なしに国家権力の維持や経済発展はなしえない」といった内容が書かれている。

そのような思想のもと、世界最大の経済大国アメリカは「平和路線」から永遠に続く「戦争路線」へと舵を切ることとなった。

最初はソ連との冷戦だった。しかしソ連が崩壊すると、次に彼らはハザールマフィアと組んで、終わりのない「対テロ戦争」をでっちあげていく。

しかし、この「戦争路線」には致命的な欠陥が潜んでいた。戦争は破壊を繰り返すばかりで、建設的なものは何も生み出しはしない。そんなアメリカは地球生命体と各国の経済にとって寄生虫のような存在でしかないのだ。

しかも寄生虫は宿主がいなくなれば、破滅を待つのみ。

第2次世界大戦の敗戦国である日本は、戦後、アメリカ軍産複合体に寄生される犠牲者となってきた。アメリカが倒産してしまった現在、日本だけでアメリカを支えるのはもはや不可能になってきた。日本と並んでサウジアラビアを含む中東の産油国も軍産複合体に寄生されてきたが、サウジアラビアはドル依存から脱却しようとしており、アメリカの支配から逃れようとしている。さらに原油価格が暴落傾向を続けていく限り、アメリカにとってもイクラやシリア、イランなどの産油国を支配する意味がなくなっていく。

つまり、アメリカの居場所が世界中から消えつつあるのだ。

そこでアメリカが頼ったのが中国だった。アメリカは中国と経済協定を結ぶことで、経済を立て直す方策としたかった。しかし、中国は現金や現物での取引をベースに関係を再構築しようと考えており、これ以上、アメリカの借金（米国債＝ドル）で貿易取引をするつもりはなかった。結局、中国は寄生してくるアメリカに対して「ＮＯ」を突き付けた。そのために武漢が５Ｇ電磁波攻撃の標的となったことは第２章で述べたとおりだ。

しかし、それでも中国は降参しなかった。それどころか中国が「アメリカを拒絶する」という前例をつくったことで、ＥＵをはじめとする世界各国があからさまなアメリカ離れを加速させ、アメリカとの距離を置き始めてきたのだ。

イスラエルが「レバノン爆破」でアラブ諸国を脅迫

世界各国がアメリカ離れを加速させたということは、アメリカを支配してきたハザールマフィアからの脱却を始めているという意味でもある。それは新しい世界と秩序が生まれようとしていることでもあるのだが、世界はまだまだ陣痛の苦しみから抜け出したとはいえない。アメリカ軍という重しがなくなったことで、かえって世界各国は自分たちの利益のために他国を侵略するような動きを活発化させている。もちろん、ハザールマフィアからの反撃も終わっているわけではない。

特にハザールマフィアの手先となって動いてきたイスラエルのベンヤミン・ネタニヤフ首相には、これまで何度となく粛正されるだろうという情報が飛び交っている。ハザールマフィアとアメリカの後ろ盾がなくなりつつある今、ユダヤ国家イスラエルはますます孤立の道を進んでいるようだ。

２０２０年8月14日、イスラエルとＵＡＥ（アラブ首長国連邦）がアメリカの仲介により国交を正常化することで合意した。長年敵対してきたイスラエルとアラブ諸国が和解へ踏み出す転換点になるのかと思われたが、ＵＡＥに続いてイスラエルと国交を正常化したのはアラブ諸国でバーレーンだけという有様だった。バーレーンはペルシャ湾に浮かぶバーレーン島と大小33の島からなる小さい国でしかなく、アラブ諸国で最も大きな国であるサウジアラビアなどは表向きいまだにイスラエルとの国交はない。

今回の合意についてトランプ政権は「歴史的な外交上の成果」だと強調したが、逆に言えば、アメリカがどんなに圧力をかけてもイスラエルと国交を正常化できたのはUAEとバーレーンの2カ国しかなかったということでもある。

その後、イスラエルは2020年10月に北東アフリカのスーダン、12月に北アフリカのモロッコとの国交正常化に合意したことを公表した。それでもアラブ諸国ではUAE、バーレーン、スーダン、モロッコの4カ国しかイスラエルと国交を正常化しない状況であることに変わりはない。

2020年8月4日、イスラエルの隣国レバノンの首都ベイルートで大爆発が発生した。日本から逃亡している日産自動車の元会長カルロス・ゴーンの自宅も被害を受けたのではないかというニュースが流れたので、この大爆発のことを覚えている人も多いだろう。

じつはこの大爆発はイスラエルが投下した爆弾による攻撃だという情報が伝えられている。イスラエルはアラブ諸国に向かって「イスラエルと国交を正常化しないと、このように攻撃される」という脅しを行ったのだ。ところが、その脅しに屈したのはUAEとバーレーン、スーダン、モロッコだけで他のアラブ諸国には通じなかったというわけである。

もちろん、この背景にはイスラエルとヨルダンの対立があることも確かだ。イスラエルはヨルダンとの国境を流れるヨルダン川西側の一部を併合する計画を発表している。当然ながら、これにヨルダンは反発し、それこそ戦争を辞さない構えまで見せている。

レバノンの大爆発は
イスラエルによる爆弾での攻撃

レバノンの首都ベイルートで大規模な爆発が発生、203人が死亡、6500人以上が負傷した（写真上）。化学薬品の引火が原因と報道されたが、イスラエルが投下した爆弾による攻撃との情報もある。また、数々の陰謀を企ててきたネタニヤフ首相（写真下）が近いうちに粛清されるとの情報があり、現在、イスラエルの政情は内外において混迷を極めている。

（出所）写真上／YouTubeより

しかし、ここまでヨルダンが強気になるのも、これまでイスラエルの後ろにいてにらみを利かせていたアメリカの力が弱くなったからに他ならない。

それどころかヨルダンに続いてエジプトやシリア、トルコまでもがイスラエルと対立を深めようとしている。

しかもイスラエル国内を見てみても、新型コロナウイルスの感染拡大を受けて2020年9月18日に、これまでになく厳格な2度目のロックダウンを開始した。アメリカ国防総省(ペンタゴン)の情報筋によると、このロックダウンはハザールマフィアに協力してきた者を粛正したり追放したりするために行ったのだという。

ハザールマフィアの傀儡国家といわれてきたイスラエルは、アメリカという重しがなくなったために内からも外からも攻撃されているのだ。

ヨーロッパで進む王位交代とNATO離脱

一方、ヨーロッパはどうなっているのか。

まず特筆すべきことは、ヨーロッパの王たちが次々と退位しているということである。

スペインでは2014年6月にファン・カルロス1世が退位して息子のフェリペ6世が即

位し、ベルギーでは2013年7月にアルベール2世が息子のフィリップに譲位した。

オランダでも2013年4月にベアトリクス女王に代わってウィレム＝アレクサンダーが即位している。

さらにバチカンでは2013年2月にローマ教皇ベネディクト16世が生前退位を行い、フランシスコ1世に代わった。ローマ教皇が自由意思によって生前退位するのは719年ぶりである。

このようにヨーロッパの王族階級の間で世代交代が行われているのだ。これは第5章で説明した「13血族」と「グノーシス派」との対立と融合を背景にしていると同時に、これまでハザールマフィア勢力に荷担してきた古い王族が一掃されつつあるということでもある。

ペンタゴンやイギリスの諜報機関MI6らの情報筋によると、すでにオランダとベルギーの王族の一部が粛正され、多くの権力エリートが暗殺されているという。イギリスの王室はハザールマフィアとの関係を断ち切ろうとしていることは第5章で述べたとおりである。スペインの前国王であるファン・カルロス1世がサウジアラビアの高速鉄道の建設計画をめぐる裏金疑惑で国外に逃亡したことも粛正から逃れるためだといわれている。

このようにヨーロッパでは明らかに地殻変動が起きているのだ。

しかも、ヨーロッパ各国の政府首脳もハザールマフィアが支配するアメリカの力が弱まったため、方向転換をせざるをえなくなった。これまでヨーロッパのEU諸国を牽引してきたドイツのアンゲラ・メルケル首相が2020年7月1日、六つのヨーロッパの新聞社による合同インタビューに答えて、次のような発言をしたことも印象的だった。

「我々はアメリカが絶対的なスーパーパワー（超大国）になろうとしているという確信のもとで育った。アメリカがその役割を自らの意思で放棄するのであれば、それについて深く考える必要がある」

ドイツの研究機関が実施した世論調査によると、「アメリカに対する印象が悪化した」と回答したヨーロッパ各国の国民のパーセンテージは、デンマークで71%、ポルトガルで70%、フランスで68%、ドイツで65%、スペインで64%だった。この数字を見ても、ヨーロッパ市民がいかにアメリカとの同盟関係を支持しなくなったかが分かるだろう。

しかも、ドイツに駐留するアメリカ軍の削減を受けて、ドイツやフランスがロシアとの新たな安全保障政策の枠組みを模索していることを先に述べたが、これはまさにヨーロッパがこれまでの「アメリカとのNATO同盟」から「EU・ロシアの同盟」へと安全保障政策の軸足を移し始めているということでもある。

実際に2020年6月26日、フランスのエマニュエル・マクロン大統領がロシアのウラジーミル・プーチン大統領とテレビ会談をし、「軍備管理体制の維持などについて、仏ロ外務・

防衛担当閣僚協議（2プラス2）の枠組みで取り組みを強化することで一致した」と発表した。それに基づいて今、事務方レベルでの具体的な調整が進められている。

2020年6月、リビアへの武器輸送をめぐり、NATO加盟国であるトルコの輸送船とフランスの海軍艦艇の間で一触即発の事件が発生した。この衝突に対しても、NATO同盟の盟主であるはずのアメリカは何のアクションも起こさなかった。

フランスはそんなアメリカを見限ったかのように、ロシアやエジプトと組んでトルコとの戦闘の準備を開始したとの情報も入っている。

さらにアメリカ国家安全保障局（NSA）の情報筋によると、核ミサイルを搭載したフランスの潜水艦が現在、アメリカの東海岸で待機し、アメリカを威嚇しているという。

アメリカは完全に足元を見られているのだ。今後もヨーロッパはアメリカとのNATO同盟から離れる動きを活発化させていくことだろう。

ドイツからの経済支援中止でEUが崩壊

経済に関してもEUはそれまでのアメリカ支配から脱却しつつある。先に紹介したメルケル首相のインタビューでも、アメリカがあてにならない以上、中国と協力しながらEUを運営していくしかないだろうと答えている。

そのＥＵにしてもイギリスが離脱（ブレグジット）したことはご承知のことだと思うが、これまでＥＵを引っ張ってきたドイツも揺れ始めている。

メルケル首相はすでに２０２１年９月までの任期満了と同時に政界を引退することを表明しているが、２０２０年５月５日にはドイツの連邦裁判所がある判決を下している。それはＥＵの欧州中央銀行（ＥＣＢ）が行った長期量的緩和策がドイツの法律に違反する可能性があるとして、今後３カ月以内に欧州中央銀行の経済刺激策からドイツが撤退することを求めるものだった。これはある意味、ドイツ版ブレグジットでもある。ＥＵの崩壊劇が始まろうとしているのだ。

ドイツのメルケル首相とともにヨーロッパにおけるハザールマフィアの一翼であるフランスのマクロン大統領も、かなり追いつめられている。２０２０年９月21日に、マクロン率いる中道政党のナンバー2であったピエール・ペルソンが幹部職から退くとフランスのメディアが発表した。

それに加えて、フランスの労働組合もマクロン政権を終わらせるためにフランス全土で大規模なゼネストを計画しているという。

黄色いジャケットを着てマクロン政権への抗議を表すイエロージャケット運動は、

２０１８年11月に開始されて以来、今日まで断続的に行われてきた。現在、フランスは新型コロナウイルスの感染拡大を受けて、２０２０年10月15日からパリなどの9都市に夜間外出禁止令が出ており、表立ったイエロージャケット運動は起こってはいないが、いつ再び活発化するか分からない。

新型コロナウイルスに対する政策が評価されて一時的にマクロンの支持率が上がったものの、現在では再び支持率が低下している。２０２２年の任期まであと2年を切ったマクロンは、首の皮一枚で大統領の座につながっているといえる状況なのだ。

ドイツのメルケルといい、フランスのマクロンといい、ハザールマフィアの管理体制は確実に崩壊しつつある。

さらにアメリカＣＩＡの情報筋によると、悪質なヨーロッパの権力エリートたちは今、追放されつつあり、彼らに支配されているＥＵが転覆するのは時間の問題だという。

アメリカ一強でも中国一強でもない第3の道へ

ドイツのメルケル首相は「ＥＵは今後、中国と協力していく必要があるだろう」とインタビューで答えていたが、だからといってヨーロッパが親中になるということでもない。

ヨーロッパを含めた世界各国は、中国一強でも、アメリカ一強でもない、第3の道を模索しているというところが本音だろう。

要はアメリカだろうが中国だろうが、一極支配の世界構造を望んでいないということだ。多極化した世界で、各国が緩やかに連帯する新しい国際システムを誕生させることができれば、人類共通の諸問題を一緒になって解決することも可能となる。

しかし、新しい国際システムの誕生を邪魔しているのはハザールマフィアに他ならない。彼らは新型コロナウイルスをばらまいて世界を混乱に導いたように、いまだに第3次世界大戦による「人工世紀末」を実現させようとしている。特に米中戦争を勃発させることを狙った数々の工作も行ってきた。その一つが、中国の武漢に投下した5G電磁波だということは先に述べた。

情報筋によると、今、水面下ではバチカンを管理しているイタリアのP3ロッジが、アメリカと中国が折り合うように妥協案の模索を続けているという。P3ロッジはEUとロシアを説得する自信があるため、アメリカと中国の対立が解消されれば世界の新体制の構築が一気に進むだろうと考えているらしい。

P3ロッジがそこまで必死になる大きな理由は、アメリカ国内の混乱が無秩序な革命を暴発させたり、アメリカとアメリカを支配しているハザールマフィアが暴走して核戦争にエスカレートしたりする可能性を危惧しているからに他ならない。

これまで見てきたようにアメリカは今、世界から孤立してきている。

アメリカは国内の混乱からアメリカ国民の目を逸らすために外敵との対立を強調し、新型コロナウイルス騒動についてもすべて中国のせいにしてきた。その他にもアメリカは日本やインド、ロシア、ＥＵなどを勧誘して「反中同盟」の構築を画策し、中国への攻撃を強めてきた。

しかし、アメリカがいくら中国に圧力をかけたところで「アメリカが倒産している」という現実は変わらないために、各国からの信用がなくなっている。新型コロナウイルスのパンデミック対策を理由にほとんどの国がアメリカからの渡航を禁止しているのも、じつはこれまで傍若無人なやり方をしてきたアメリカに制裁を加えるために行っているのだという情報もある。

ハザールマフィアそのものにしても、これまでアメリカを通して世界各国の反政府運動に資金を渡し、第３次世界大戦の勃発に向けた計画を立ててきたが、アメリカの倒産で資金が枯渇したために資金援助ができなくなっている。その証拠に、香港やベラルーシ、イランなどで活性化していた反政府運動が止まってしまった。

バチカンとローマ教皇が新たな国際秩序を模索

先にも述べたとおり、現在、Ｐ３ロッジがアメリカと中国の対立を解消するために動いている。それに加えて、イギリス連邦（コモンウェルス）やアジアの結社筋などとも連携し、新しい国際融和の世界構築に向かって話し合いが続けられているという。

反ハザールマフィア勢力ともいえる彼らは皆、テロ国家アメリカを倒産させる決意で一致し、「株式会社アメリカ」にはこれ以上の延命資金を渡すつもりはないことを確認している。アメリカをいったん倒産させて、もっと健全な国家に生まれ変わらせるつもりなのだ。

ここでＰ３ロッジが後ろ盾になっているバチカンとローマ教皇について今一度、整理しておきたい。Ｐ３ロッジが誕生した背景はすでに第2章で述べたとおりだが、それ以前のバチカンはハザールマフィアの一員として行動してきた歴史がある。

バチカンはイタリアのローマ市内にありながらイタリアではない特別区であり、ローマ教皇が統治する独立国家である。それを利用して、ハザールマフィアが大国の首脳たちを自分たちの勢力に取り込んできた。

その方法はというと、ある人物が大国の大統領なり元首なりに就任すると、バチカン銀行の関係者が訪ねてきて通帳を渡す。その通帳には何百億円というお金が入金されており、「この金を受け取って自分たちの一員になるか、拒否して暗殺されるか、どちらかを選べ」と説明する。独立国家であるバチカンの中にあるバチカン銀行には、他国の捜査機関が原則として指一本触れることができない。つまり、お金を受け取っても露見することも、犯罪に問われることもない。その上、このお金を受け取らないと命を奪うとまで脅されるのだ。

ハザールマフィアはこうやって大国の首脳たちを自分の勢力に取り込んできた。しかもローマ教皇は約15億人のカトリック教徒の頂点に立つ聖職者であり、その影響力は計り知れない。

しかし、P3ロッジが誕生して、それまで手先となって動いていたマフィアを排除したことでも分かるとおり、バチカン内部で変革が起こった。そのきっかけは2013年2月に就任したフランシスコ教皇の存在が大きい。前任者であるベネディクト16世が自由意思によって生前退位を行ったのは719年ぶりだということを先に説明したが、その異例ともいえる退位の背景にあるのは、ハザールマフィアとの関わりを断ち切ろうというある種の意思が働いたためだと思われる。

実際にベネディクト16世のもとにはハザールマフィアたちが訪れ、助けを求めてきていた。

2001年9月11日、ジョージ・W・ブッシュ元大統領はアメリカ同時多発テロを自作自演し、その後、ありもしない大量破壊兵器が存在するという理由でイラク戦争を始めた。ハザールマフィアの一員だったブッシュは大統領を辞めた後、反ハザールマフィアからの報復を恐れ、ベネディクト16世に会って赦（ゆる）しと保護を求めた。

イギリス首相だったトニー・ブレアは、ハザールマフィアの手先になって児童虐待を繰り返してきたジェフリー・エプスタインと交遊があったことも暴露されているが、そんな彼も首相の座を降りた直後に、同じようにベネディクト16世に会いに行き、助けを求めたという。

これらの事実は　それだけローマ教皇の地位は絶大だという証拠である。そのローマ教皇の座からベネディクト16世が去り、フランシスコ１世が新しく就任すると、これまで国交が断絶していた中国との和解が目に見える形で行われることになった。２０１８年、中国共産党が公認するカトリック教会「中国天主教愛国会」の司教選任について、バチカンと中国政府の間で事実上の合意に達したのだ。

これにアメリカは慌てふためいた。しかもバチカンと中国は２０１８年に合意した司教選任についてさらに延長することで交渉に入ったことを受け、アメリカのマイク・ポンペオ国務長官はそれを阻止するためにフランシスコ教皇との面談を求めたが、２０２０年9月30日、教皇はこれを拒否する旨を発表した。バチカンと中国は２０２０年10月22日、中国国内での司教選任についての合意を2年間延長することを発表している。

バチカンやローマ教皇が持つ計り知れない影響力

新たに教皇に就任したフランシスコ1世（写真上）は積極的な政治介入を行い、バチカンと中国、ロシア正教それぞれとの歴史的和解を実現させた。ベネディクト前教皇(写真下)にブッシュ元大統領が保護を求めたように、約15億人のカトリック教徒の頂点に立つローマ教皇の権力は絶大であり、世界情勢に大きな影響力を持っている。

ローマ教皇が治めるバチカンは、カトリックに対してだけでなく、実質的に一神教の世界最大の司令部でもあり、ローマ教皇に仕える騎士団の伝統を持つ欧米諸国の軍人たちも一手に束ねているといってもいい。実際に東西冷戦時代にも当時のローマ教皇ヨハネ・パウロ2世は各国の軍人たちに武力行使をしないよう呼びかけ、そのこともあってソ連崩壊とそれにともなう冷戦終結の混乱が最小限にとどまったといわれている。

そのバチカンがこれまで対立していた中国と協力するスタンスへと変わったことは、今後の世界情勢を占う上でも非常に大きな事実だ。

何より、アメリカと中国が全面戦争をすれば、何度シミュレーションを行っても「人類の9割が消滅し、北半球には人が住めなくなる」という結果になる。そのため、バチカンやそれに仕える古いローマ貴族たちも、戦争をするよりも緩やかに連帯する多極的な世界体制をつくった方が得策であるとの結論に至ったのだ。

水面下で動きだした「新金融システム」

第4章でトランプ前大統領とアメリカ軍が決裂したことを説明したが、この背景にあったのは、P3ロッジとアジアの結社筋が交わした「新たな世界体制に向けた合意」にあったとバチカンの情報筋が伝えている。アメリカ軍では良識派ばかりでなく、その多くがハザールマフィアの画策する第３次世界大戦勃発の危険性を認知し始めているのだ。

中国にしても、今回の新型コロナウイルス騒動にともなって経済活動が急速に縮小している。それでなくても中国は設備過剰の状況に陥り、新たに借金をして設備投資に回しても経済成長にはつながらなくなっているのだ。

東アジア担当のＣＩＡ筋によると、２０２０年2月の時点で中国の借金は50兆ドルにも膨らみ、国内金融機関の15％を占める約５００行の銀行が倒産の危機に瀕しているという。だからこそ金融崩壊を避けるためにも中国は欧米の良識派でもある反ハザールマフィアと手を結ぶ必要があった。ハザールマフィアが新型コロナウイルスをばらまいて世界経済を崩壊させようとしたことで、かえって欧米の反ハザールマフィア勢力と中国の両方が経済再建という面で利害が一致したのだ。

さらに、新たな世界体制に向けて、大量の金（ゴールド）を保有するアジアの王族や秘密結社ドラゴンファミリーが、欧米の中央銀行の同意があれば莫大な資金を供給する用意があるとも伝えられている。これが実現すれば兆ドル単位の資金が世界に放出されることになる。

もちろん、そのような動きにハザールマフィアが支配する欧米の中央銀行が黙って従うつもりはないだろう。しかし、水面下ではすでに新しい金融システムが稼働している兆候が見えていることも確かだ。

例えば、日本から海外に送金するとき、これまではシティバンクやバンク・オブ・アメリカといったアメリカの銀行を経由しなければならなかった。しかし今は直接、日本の銀行から海外の銀行に送金できるようになった。マイナンバーも必要でなくなっている。また、外国の銀行のキャッシュカードは、成田空港内の銀行や自分のメインバンクのATMでしか使用できなかったものが、今では他の銀行でも使えるようなった。これらの変化は明らかに新しい金融システムができたからとしか考えられない。

2019年5月1日に新しい天皇が即位し、平成から令和への改元にともない、2019年4月27日から5月6日まで日本の銀行が10連休したことがあった。情報筋によると、この期間にそのようなシステム変更を行ったのではないかという。インドネシアでも2019年6月1日から9日までインドネシア国内のすべての銀行が休業したことがあった。

ハザールマフィアであるロスチャイルド一族が支配するBIS（国際決済銀行）の決まりでは、国際業務を行う銀行は3日間以上連続して休業することが基本的に認められていない。つまり、日本やインドネシアでの3日間以上の銀行の連休は極めて異例のことだったのだ。これは裏を返せば、国際金融を支配下に置くハザールマフィアの力が弱くなっているということでもあり、ハザールマフィアに対する反逆が始まっているということでもある。

東京証券取引所で起きたシステム障害の真相

さらに新しい金融システムが始まった兆候といえるのは、外国為替の相場において各国の通貨のレートに大きな変動が見られないことだ。ドルが暴落しない理由については第４章で述べたとおりだが、ドルだけでなく、円やポンド、ユーロ、人民元などの通貨もある一定内の幅で動いているにすぎない。

これは国際基軸通貨であるドルの価値がなくなったことを受けて、中国の人民元がドルに代わって各国の通貨と連動しているからだともいわれている。ドルという紙切れ同然の借用書ではなく、実物のモノや金（ゴールド）と裏付けられる新しい国際基軸通貨に移行するようにリセットが行われているのだ。つまりは、これまであらゆる国際決算はアメリカが主導する「ＳＷＩＦＴ」という国際金融決算システムを通じて行われていたが、そのＳＷＩＦＴが反ハザール勢力に乗っ取られたということだ。

ペンタゴンの情報筋によると、東西結社の合意によって、すでに新たな金融システムが稼働を始めているという。ＭＩ６などの情報筋によると、新型コロナウイルスの感染拡大を理由にイタリアがロックダウンしたとき、何者かによってバチカンから膨大な資料や金（ゴールド）、債券などがどこかに持ち出された。その結果として、ＳＷＩＦＴがハザールマフィアの手から取り上げられ、新たな国際金融システムでは、金や商品に裏付けられている貨幣しか認められないというのだ。このような世界の新体制に向けた東西の合意を裏付ける動きは徐々にだが確実に広がり、良い方向に向かっているといえる。

アメリカが倒産していることは先に述べてきたが、そんな中で南カリフォルニアの港で中国から到着したコンテナ船の荷降ろしが現在、活発化している。ロサンゼルスにおいては２０２０年8月の荷下ろしの量が過去最高に近いボリュームを記録しているのだ。

新型コロナウイルスの感染拡大で経済に大打撃を受けていた中国も、２０２０年10月の中国国家統計局の発表によれば、２０２０年7月から9月までのGDP成長率が去年の同じ時期に比べてプラス4・9％と、3月から6月までの期間から続けてプラスになったという。

中国当局が発表するＧＤＰは見せかけだけで正しいものではないとの批判はある。しかし、それでも新型コロナウイルスの感染拡大の影響から回復していることは確かだ。そして、その背景にあるのは、新体制に向けた東西結社の合意をもとに、これまでハザールマフィアが支配していた国際経済と金融のシステムから脱却しつつあるということでもある。

２０２０年10月1日に東京証券取引所で株式売買システムに障害が発生して終日取引が停止した事故があった。ペンタゴンの情報筋によると、これは事故ではなく、日本銀行が東京証券取引所をハザールマフィアのためのマネーロンダリングに使っていたことに対する報復だという。そのお金の流れを断つためにシステムが止められたのだ。これも新しい金融システムに代わろうとしている兆候だろう。このような異変は、新しい金融システムに完全に移行するまでは今後も世界各地で続くだろうと思われる。

さらに、このような金融システムの変革だけでなく、次の世界体制に向けて未来の経済を企画する新しい国際機関の設置の準備も水面下で進んでいるようだ。

そうした機関が設立されれば、アメリカなど各国の新たな経済運営と世界の方向性を見つけることができるだろう。今はまだその根回しが始まったばかりで、しばらくは今回の新型コロナウイルスの感染拡大にともない経済の混乱は続くだろう。しかし、その根回しが終われば、新しい世界が開けていくことになるのは間違いない。

「北アメリカ合衆国」としてアメリカを再起動

欧米と中国をはじめとするアジアの結社との話し合いにおいては、今後の世界のあり方についての具体的な案も検討にあがっているという。関係筋の情報をまとめると、それは「アジアと欧米で世界運営の権限を平等に分ける」ということらしい。

もちろん、まだ決定という段階ではないが、すでにいくつかの案で合意に達している部分もあるらしく、現時点で分かっていることは以下の通りだ。

まず、「新国際システムが発足する際は最初に欧米人が指導的立場につき、次にアジア人に引き継ぐ。その後は人種や地域を問わず、そのときに最も有能な人間がトップに立つ」ということ。

次に、「基本原則として、各国は既存の権限と独立を維持する」ということ。

それから、「全地球にかかわる問題、例えば大気や海の汚染、砂漠の緑化などは新たな国際機関が担当する」ということ。

これらのことが実現すれば、世界経済は再起動するばかりか、「自然との調和」や「格差の是正」という諸問題も解決に近づくかもしれない。

問題はアメリカだ。アメリカはすでに倒産状態であり、世界中に居場所がなくなりつつあるとはいえ、今でも世界最大・最強の軍隊を保持している。それでなくても以前から「いざとなれば第3次世界大戦を勃発させる」という最後のカードをちらつかせてきた。

それゆえにイギリス連邦やアジアの結社らは新しい世界体制に移行した場合、アメリカをソ連のように複数の国に分割するのは得策ではないと考えているという。

そのため、水面下ではアメリカを民主主義の法治国家「北アメリカ合衆国（United States

of North America)」としてカナダと合体させ、再起動する案などが検討されているのだとか。その場合、新国家の首都は北米大陸のちょうど中心にあるアメリカのノースダコタ州が最有力候補地だという。そして、既存のアメリカには借金を帳消しにする代わりに軍産複合体の平和転用が求められることになるだろう。

しかし、何度もいうようだが、アメリカやヨーロッパを支配してきたハザールマフィア勢力がそう簡単に今の座を明け渡すわけがない。新型コロナウイルスをさらにばらまくことで、パンデミックの第2波、第3波を起こし、それに加えて人類の恐怖心をあおるさまざまな工作を発動させていくことが予想される。

とはいえ、世界再編の動きは、既存の権力者を排除する形ですでに始まっている。その最たる例が日本の安倍晋三だ。安倍の首相辞任については次の章で詳しく述べるが、安倍前首相の辞任はこれから次々に倒れていくドミノの一つにすぎない。

ドイツのメルケル首相が2021年9月に政界を引退することや、フランスのマクロン大統領が2022年の任期までその座を保てるか怪しいことは先に説明したが、それに加えてイギリスでもすでに異変が起こっている。

2020年9月1日、イギリス官僚の最高権力者の交代が正式に発表されたが、新しいトップになるのはヘンリー王子の元秘書だったサイモン・ケースという人物だ。しかもこのケースの就任準備のために、すでにイギリス官僚組織の幹部5人が解任されている。イギリス当局筋によると、その5人はいずれもドイツの息のかかったエージェントだったという。この一連の動きを受けて、イギリスの諜報機関MI6の情報筋は「これからイギリス政府の激変が始まる」と伝えている。

さらにペンタゴンやP3ロッジの情報筋によると、今後、権力の座からパージされるリストの中には韓国の文在寅大統領やカナダのジャスティン・トルドー首相などの名前が挙がっているという。

今後どう事態が転んでいくかは実際にふたを開けてみなければ分からないが、世界の再編の動きは現在進行形で加速していることだけは否定できない。

そして、世界の権力階級の浄化が進んでいけば、これまでハザールマフィアたちに縛り付けられてきた私たちが解放される日も近づく。とにかく今は、人々に恐怖心や憎悪を植え付けるハザールマフィアの工作に惑わされず、前向きに明るい未来を創造していくことこそが何よりも重要なのである。

第7章

安倍から菅へ
日本「売国政権」の黒幕

菅政権を裏で操る権力者たち

3・11「核・津波テロ」で誕生した第2次安倍政権

2020年8月28日、安倍晋三が首相を辞任することを発表した。その理由は持病である潰瘍性大腸炎の再発による健康上の問題だと説明したが、多くの国民は驚きをもって受け止めたのではないだろうか。あまりにも突然のことであり、それまではいつまでも首相の座にしがみついていくように見えたからだ。

しかし、信頼する情報筋によると、安倍首相が辞任した理由は健康問題ではなく、アメリカ軍に命令されたからだという。

その詳細を述べる前に、安倍晋三という政治家の背景を説明していきたい。その事情が分からなければ、今回の首相辞任の真相も理解できないからだ。

そもそも安倍は、アメリカとアメリカを支配しているハザールマフィアの忠実なる下僕だった。それは安倍だけでなく、歴代の自民党出身の首相は皆、そうだったといってもいい。

しかし、中にはハザールマフィアに反旗を翻そうとした政治家もいた。田中角栄や竹下登などである。しかし、田中角栄はロッキード事件で失脚していった。アメリカが仕掛けたロッキード事件の背景には、ハザールマフィアの実行部隊CIAから多額の資金が自民党に流れており、それを告発しようとした田中をつぶす目的があったという。

竹下登にいたっては、表向きは病死となっているが、じつはアメリカから押し付けられたアメリカ国債を売却しようとしたために、激怒したハザールマフィアによって殺されたのだ。ハザールマフィアは竹下を拉致してアラスカに連れていき、全裸にして薬物を注射。その上でヘリコプターから吊して拷問を加えた後、最後に睾丸を蹴りつぶして殺したという。しかも、その拷問と惨殺の様子を映像に撮り、その後の日本の政治家や官僚に対する脅しとして使ってきたのだという。

さらには竹下の側近から首相になった小渕恵三や、その小渕の前の首相だった橋本龍太郎らも病死ということになっているが、ハザールマフィアによって毒物などで殺されている。麻生太郎内閣の財務・金融担当大臣だった中川昭一も酩酊状態での記者会見の末に不慮の死を遂げているが、これもハザールマフィアによるものだといわれている。

彼らは皆、日本政府が保有するアメリカ国債を売却しようとしたためにハザールマフィアによって粛正されたのだ。

というのも、アメリカ国債が売却されると、アメリカの信用力が低下して、誰もアメリカ国債を買ってくれなくなる。そうなると、財政が逼迫（ひっぱく）しているアメリカは一気に破綻する。ハザールマフィアはアメリカの倒産を防ぐために、なんとしても日本にアメリカ国債を保有し続けてもらわなければ困るのだ。
このような過去のハザールマフィアによる脅しを安倍が知らないわけがない。安倍の祖父・岸信介元首相がＣＩＡのエージェントだったことは有名な話だ。祖父を通じて安倍はハザールマフィアの恐ろしさを心得ていたはずだ。

アメリカ国債にしても、国別の保有額で中国が一時期、世界第1位になったが、安倍政権下の２０１９年6月には約2年ぶりに日本がトップに戻り、現在も世界第1位を続けている。

２００７年9月に安倍が第1次政権を突然、投げ出し、次の首相が決まるまで11日間も慶應病院に入院していたことがあった。これはハザールマフィアの一員である当時のアメリカ大統領ジョージ・Ｗ・ブッシュと何らかの問題でもめたために身を守る必要に迫られたからだといわれている。つまりは敵前逃亡を図ったのだ。

しかし、そんな安倍が再び首相の座に返り咲くことができたのも、ハザールマフィアのおかげに他ならない。

２００９年8月末の衆院選で自民党を破り、政権交代を果たした民主党は、それまでの対米追随路線から舵を切り、アメリカ支配からの自立を目指そうとした。しかし、そのことがアメリカを支配するハザールマフィアを激怒させることになる。アメリカの支配から独立されると日本からお金を巻き上げられないからだ。そこでハザールマフィアが断行したのが

２０１１年3月11日の「核・津波テロ」だった。彼らは深海調査船「ちきゅう」で福島沖の海底に核爆弾を埋め込み、福島原発の一つに小型の核爆弾を秘かに持ち込んだ。これらを爆発させたことで人工的な津波を引き起こし、原子力発電所を制御不能に陥れた。東日本大震災である。

この命令を下したのはハザールマフィアの手先であるイスラエルのネタニヤフ首相だが、これを計画する段階ではリチャード・アーミテージやマイケル・グリーンといった、いわゆる「ジャパンハンドラーズ」と呼ばれる日本の裏の支配者たちの意向が強く働いていたことは間違いない。

もちろん、ジャパンハンドラーズはハザールマフィアの代理人であり、「年次改革要望書」や「アーミテージレポート」という文書の形で日本政府にアメリカ有利の政策を提言して実行させたり、民間の政策シンクタンクである「ＣＳＩＳ（アメリカ戦略国際問題研究所）」を使って日本の政治家をコントロールしたりしてきた。政権交代を果たした民主党がこの「年次改革要望書」を廃止したことでも、アメリカからの独立を画策していたことがよく分かる。ちなみに現環境大臣の小泉進次郎もＣＳＩＳに在籍していた一人だ。

こうしてハザールマフィアによって東日本大震災が引き起こされ、日本が壊滅状態に陥ったことで民主党政権は白旗を上げて降参した。

そして、民主党に代わって再び政権を握ったのが、ハザールマフィアにとって最も手なずけやすい自民党の安倍だったのだ。

武器の「爆買い」でアメリカに貢ぐ日本

再び首相の座に就いた安倍晋三はいっそう忠実にアメリカとハザールマフィアの要求に従った。約7年8カ月続いた第2次安倍政権の下で、国民の声を無視する形で無理矢理に通された数々の法案を見ても、それはよく分かる。

「特定秘密保護法」や「有事立法」の成立、「武器輸出三原則の撤廃」、そして集団的自衛権を行使することを可能とした「安保関連法」などは、まさにアメリカの要求をそのまま丸呑みしたような格好だ。

安倍は、これらはすべて日米同盟を強化するためだと説明したが、日本が戦争に荷担しやすくするためだということは誰の目からも分かる。すなわちそれは、日本の利益というよりはアメリカの利益であり、ひいてはアメリカの軍産複合体の利益でしかない。

これはまさに前章でも触れたとおり、アメリカの軍産複合体という寄生虫が日本から「養分」を吸い上げているということでもある。いや、安倍はアメリカの軍産複合体に、自ら「養分」を差し出しているのだ。

その最たるものが武器の「爆買い」だろう。

アメリカから武器を購入するときは、商社を通したものと対外有償軍事援助（ＦＭＳ）と呼ばれるアメリカ政府を窓口にした政府間取引があるが、この対外有償軍事援助に基づく輸入額は、第２次安倍政権が発足した２０１１年度から膨れ上がり、２０１９年度には16倍超の約７０１３億円にもなった。

しかもアメリカとの対外有償軍事援助ではアメリカの言い値で武器を購入しており、まさに言いなり状態ともいえる。

その中身は防衛省の２０１９年度概算要求に盛り込まれたものを見ても、「イージス・アショア２基など」４２４４億円、「Ｆ35Ａ戦闘機６機」９１６億円、「Ｆ35Ａ戦闘機搭載ミサイル」73億円、「滞空型無人機１機」１８９億円、「新早期警戒機２機」５４４億円などとなっている。

その後もさらに購入金額は増えていき、２０２０年度の概算要求に計上されたのは「Ｆ35Ｂ戦闘機６機」８４６億円、「Ｆ35Ａ戦闘機３機」３１０億円、「イージス・アショアの取得関連費」１２２億円、「迎撃ミサイル」３０３億円などで、対外有償軍事援助による調達費は５０１３億円にも上る。

特にＦ35戦闘機については、２０１９年４月に航空自衛隊のＦ35Ａ戦闘機が青森県沖で墜落して操縦士が死亡した他、アメリカでもＦ35Ｂ戦闘機の墜落事故が発生しており、アメリカ政府監査院（ＧＡＯ）がＦ35に重大な欠陥がある可能性を否定できないと指摘しているにもかかわらず、安倍政権は導入予定だったＦ35の42機に加えて、１０５機の追加購入を閣僚了解で決めてしまった。

さっそくトランプ前大統領は上機嫌になり、「日本は同盟国の中で最も多いＦ35を保有することになる」と褒め称えたが、それを聞いた私などは、安倍は日本をどうしたいのかと首を傾げてしまった。

じつは日本はこれまでアメリカから購入してきた武器の返済ローンの残高が２０１９年度で5兆円を超えるまでに膨らんでおり、第2次安倍政権の発足後、8年連続で増え続けている。いうまでもないことだが、これらのお金はすべて私たちの税金である。多額の借金が残っているのに、それでもアメリカから高額な武器を購入しようとしている事実を私たちはどう解釈したらいいのか。

第2次安倍政権では防衛予算も増え続け、２０２０年度には過去最高の5兆３０００億円を超えた。その防衛費の大半がアメリカからの武器購入費であるという現実から見ても、利益を得ているのは日本ではなくアメリカの軍産複合体だといっても過言ではない。

話が逸れるかもしれないが、青森県沖で墜落したF35戦闘機に関して、その機体はいまだに発見されていない。位置情報を特定できるであろう最新装置が山ほど装備されているにもかかわらず発見できないとは、普通なら考えられないことだ。じつは行方不明のF35戦闘機は墜落したことにして、アメリカ軍が資金を得るために中国かロシアに売ったという情報がある。1機でも手に入れれば、F35戦闘機についての機密情報を得ることができるので、中国やロシアにすれば喉から手が出るほどに欲しいことは間違いない。この情報が正しければ、アメリカ軍はアメリカの倒産を受け、ここまでしなければ資金を調達できない状態だということでもある。

日本の資産を外資に差し出す「売国政策」

第2次安倍政権が推し進めたものに「法人税率の引き下げ」や「働き方改革」などもあるが、結局はハザールマフィアの利益になるものばかりだった。

というのも、法人税率が下がれば、それだけ大企業が税金を払わなくてもいいことになり、働き方改革にしても、その中身を見れば、残業代を支払わなくていいということなので、結局は、会社や株主の利益につながっていく。そして、その株主というのはハザールマフィアたち外国資本に他ならないからだ。

現在、日本の上場企業の株は、主に外国人が所有している。外国人によるその保有率は40年前にわずか3％ぐらいだったものが、第2次安倍政権下の2013年に初めて30％を突破した。上場企業の場合は約15％保有すれば筆頭株主といわれているが、多くの上場企業の筆頭株主が外国資本によって占められているのが現状なのだ。

これだけ上場企業の株式を保有するハザールマフィアが増加した背景には、2001年に首相に就任した小泉純一郎とその閣僚に抜擢された竹中平蔵によって推し進められた構造改革と規制緩和によるところが大きい。これによって日本の企業はこれまでの日本型経済運営が破壊され、外国資本の参入を招いてしまった。

例えば、それまでの日本企業は「株式持ち合い制度」といって、企業同士が双方の株式を所有することで、外国資本による株の買い占めや乗っ取りを防いでいた。ところが竹中がこの制度を壊してしまったために、日本の大企業の30％が外国資本やハザールマフィア傘下のハゲタカファンドと金融企業に株式を握られる状態になってしまったのだ。

また、小泉が断行した「郵政民営化」にしても、結局は私たち日本人の個人資産である郵便貯金と簡易保険の大半をハザールマフィア系のゴールドマン・サックスに手渡したのも同然のことだった。まさに小泉と竹中はハザールマフィアが実質的に日本企業を支配するように手を貸しただけだった。

特にハザールマフィアの意を汲んだ竹中の罪は重い。それまでほとんどが正社員で構成されていた日本企業の日本型運営が構造改革と規制緩和という名の下に破壊された結果、派遣社員や契約社員などの非正規社員を増加させることになった。その派遣社員を派遣するグループ企業の会長が誰あろう、竹中なのだ。それは第2章で述べたような、生物兵器をばらまいておいて、そのワクチンを製造して大儲けをしているハザールマフィアと同じ構図ではないか。

それにもかかわらず、安倍晋三は政権に復帰すると、竹中を政策ブレーンとして再び政府に迎え、この路線をさらに推し進めていった。そんな中から出てきたのが「法人税率の引き下げ」や「働き方改革」だったのだ。

その他にも安倍政権は「統合型リゾート（ＩＲ）整備推進法案」という名前のカジノ法案を成立させ、「種子法の廃止」や「水道法の改正」なども推進してきたが、これらも結局はハザールマフィア傘下の外国企業が日本に参入できるようにしただけにすぎない。

日本でカジノを開設しようと思っても、そのノウハウを持っているのはラスベガスにあるような外資系カジノ運営企業だけである。

種子法を廃止してこれまで都道府県によって守られてきた種子が解放されたことで、大手資本の多国籍企業に日本の種子が独占される危険性が高まってしまった。

水道法の改正によって水道という国民の命に関わる最重要なインフラを民営化することが可能となったが、水道事業に参入しようとしているのはハザールマフィア参加の外国企業だけであり、かえって水道代が高くなる危険性が指摘されている。

現にいち早く水道事業を民営化したフランスのパリでは水道代が1・7倍も値上がりし、同じく民営化をしたイギリスでは再び国有化にしようという動きさえ出ている。そのような海外の事例が分かっていながら、安倍政権は2018年12月に水道法の改正を強行した。いったい誰のための水道法改正なのかといいたくなる。

じつは水道法の改正が国会で審議される前の2013年4月19日、安倍内閣の副総理兼財務大臣である麻生太郎がワシントンDCにあるCSISで行った会見で、「日本の水道はすべて国営もしくは市営・町営だが、こういったものをすべて民営化する」と宣言したこともハザールマフィアとの関係が疑われる要因だった。

CSISは先にも述べたようにハザールマフィアの出先機関であり、麻生が宣言したその記者会見には、ジャパンハンドラーズと呼ばれているマイケル・グリーンが麻生の隣にしっかりと座ってもいた。そもそも、水道法の改正法案が国会に提出される前にこのような発言をすること自体、日本の議会だけでなく、私たち日本国民をバカにするものだろう。

大企業を優先！　消費増税で法人減税を穴埋め

安倍政権の成果に株価の上昇を挙げる人がいる。確かに第２次安倍政権が発足したときから退任するまでに日経平均株価は２・３倍上昇した。

しかし、これも結局のところハザールマフィアたち外国投資家が儲かったにすぎない。日本株の売買の70％は外国投資家だといわれているからだ。

そもそも株価が上昇し、高値圏を維持しているのは、日本銀行と年金資金を運用する国の独立法人「ＧＰＩＦ」が株を買い続けているからに他ならない。実体経済とはまったくかけ離れているのだ。

その証拠に、２０２０年10月23日の朝日新聞の報道によると、東証１部企業の８割に当たる約１８３０社で日本銀行とＧＰＩＦが事実上の大株主となっており、４年前の調査時から倍増したという。上場企業のほとんどの筆頭株主がハザールマフィアだと先に述べたが、彼らを儲けさせるために日本銀行とＧＰＩＦという公的機関が自らの資金で株を買い続けた結果、自分たちが大株主になっていたというのだから、これは大いなる皮肉であるとしかいえない。

ちなみに、日本の中央銀行である日本銀行は、アメリカのＦＲＢ（連邦準備制度理事会）と構造は同じで、じつは国営の銀行ではなく「民間銀行」である。その株式は日本政府が55％を所有し、残りの45％を民間が持っている。その民間の株主は非公開になっているが、日銀株の大量保有者はハザールマフィアの一員であるロスチャイルド一族とロックフェラー一族だということが私の長年の調査で分かってきた。つまり、ここでもハザールマフィアは日本の金融をコントロールしながら日本から利益を吸い上げる仕組みをつくっていたのだ。

このように、安倍晋三はじつに忠実にハザールマフィアの策略どおりに働いてきたといっていい。アメリカ国債を世界で一番買ってきたのも安倍政権だと先に説明したが、これも私たちの税金でアメリカの財政を支えているということである。

しかも、アメリカはすでに倒産していることは第4章で述べたとおりで、国債の金利さえ今後払ってくれるかどうか分からない状態に陥っている。もしもこのまま貸した金を返してくれないことになったら、まさに貸し倒れという言葉どおり、日本の方が倒れてしまうだろう。つまり、日本が倒産してしまうということだ。結局、政府のツケは国民が払うことになり、苦しむのは私たち日本国民だということである。

さらに、私たちの生活に直結する消費税に関しても、安倍政権は2度にわたってその税率を引き上げた。

その引き上げた理由は消費税を社会保障に充てるためだと説明したが、実際に社会保障費に充てたのは消費税の16％でしかなかったことが分かっている。社会保障のためというのはまったくの嘘だったのだ。それではなぜ消費税を引き上げたのか。引き上げて増収した金額をそのまま法人税率を引き下げたことで減収した部分の穴埋めにしていたのだ。

しかも消費税を引き上げたことで、日本経済は失速した。2014年4月に消費税を5％から8％に引き上げたとき、その直後の4月から6月期のGDPは前期比で年率マイナス7・5％という記録的な落ち込みとなった。2019年10月に消費税を10％に上げたときも、その直後の10月から12月期のGDPはマイナス7・1％だった。

うがった見方をすれば、安倍政権は日本経済が失速することが分かっていながら、ハザールマフィアの利益になるよう法人税を引き下げるために、2019年10月に2度目の消費税の引き上げを断行したのだ。

新型コロナで日本経済を意図的に混乱

CIAやアジアの結社筋によると、安倍晋三は欧米の権力エリートから日本を衰退させるように前々から指示を受けていたのだという。

考えてみれば、今回の新型コロナウイルス騒動に対する安倍政権の対処は、その命令を忠実に守っているようにさえ見えた。

第2章で私は、安倍政権がダイヤモンド・プリンセス号のデータから新型コロナウイルスはそれほど危険がないということを知っていた可能性があり、そのため安倍政権は当初、世論から生ぬるいと批判されても何の対策も打って出なかったと述べた。

しかし、新型コロナウイルスの感染が日本中に拡大したことを受け、さすがに政府も何らかの対策を取らざるをえなくなった。そこで行われたのがいわゆる「アベノマスク2枚」と1人につき10万円の「特別定額給付金」、並びに200万円の「持続化給付金」などだった。

アベノマスクについては、ほとんど失笑モノといってもいいほどのレベルだったことは皆さんの方が分かっているだろう。特別定額給付金についても全国民に行き渡るまでに時間がかかり、持続化給付金においては、その業務を電通などの民間に多額の報酬とともに丸投げで委託していたことが分かって大問題となった。その後の「GO TO キャンペーン」などの事業についても、いまだに混乱が続いている。

これらの方策がまったく経済効果がなかったことはGDPを見れば分かる。2020年1月から3月期のGDPは前年の10月から12月期に比べて年率でマイナス2・2%と落ち込み、新型コロナウイルスの感染拡大が本格化した4月から6月のGDPは年率でマイナス28・

1％とさらに落ち込みが加速した。

もちろん、この期間は緊急事態宣言などが出され、経済活動が低下せざるをえなかったからでもあるが、安倍政権が徹底した経済対策を打ち出したかといえば疑問符が付く。

それどころか、ハザールマフィアが画策した新型コロナウイルスのパンデミック騒動に乗っかり、ハザールマフィアが狙っていた経済混乱をそのまま受け入れていたとしか思えない。

本来なら陣頭に立って指揮を執るべき首相の立場にありながら、対策会議は担当大臣に任せきりのように見え、記者会見も6月18日以降行われず、6月17日の通常国会閉会後は閉会中審査に一度も出席しなかった。野党が求めた憲法53条に基づく臨時国会の召集要求さえも拒み続けた。国民が新型コロナウイルスに不安がり、経済活動ができない状態でいるときに、安倍は雲隠れをしてしまったのだ。

このときすでに持病の潰瘍性大腸炎を悪化させていたからだという言い訳が成り立つかもしれないが、一国の首相である者が持病を言い訳にするのはあまりにも覚悟がなさすぎる。

それでなくても安倍は、「桜を見る会」や「森友・加計問題」、「検事長の定年延長問題」から続いた「黒川検事長辞任」、さらには「河井克行・案里両議員夫妻の買収問題」など、自身に関わる疑惑に包囲され、追いつめられていた。

安倍政権崩壊とイエズス会神父の死

安倍晋三の背後にいるハザールマフィアの力が弱まってきたことは、これまで本書で説明してきたとおりだが、安倍を首相の座に据えた日本国内のハザールマフィア勢力の中でも崩壊は起きていた。

「ジャパンハンドラーズ」と呼ばれる日本の裏の支配者たちの存在を先に述べたが、その一員だったリチャード・アーミテージやマイケル・グリーンなどの力は、アメリカ国内でのハザールマフィアが弱体化すると同時に弱まっていった。

特にアメリカ軍の良識派の支援を受けてトランプがアメリカ大統領に就任したときは、ハザールマフィアの多くの勢力が排除され、実際にジャパンハンドラーズのメンバーたちはトランプ政権内で失脚の憂き目にあった。日本からすれば、このときがハザールマフィアから脱却するチャンスだっただろう。

ところが当時の首相だった安倍が選んだのは「様子見」だった。ハザールマフィアの力が弱まったとはいえ、依然として世界の頂点に居座り続けている。それに新しく大統領に就任したトランプは今後どうなるか分からない。安倍はハザールマフィアとトランプのどちらにも擦り寄り、アメリカそのものにせっせと「貢ぎ物」を差し出していった。

しかし、そんな安倍の姿は、反ハザールマフィアの勢力からすれば、今までどおりハザールマフィアの忠実なる犬にしか見えない。安倍も自分を首相に押し上げてくれたハザールマフィアを決して裏切るようなことはしなかった。

しかし、安倍政権の崩壊は確実に、そして静かに近づいていた。

その予兆の一つはイエズス会前総長のアドルフォ・ニコラス神父の死去だった。ニコラス神父は日本で長い間、宣教活動を行い、上智大学の神学部で教授として教鞭を取っていたこともある。２００８年1月にイエズス会の第30代総長に選出され、２０１６年まで総長職を勤め、２０２０年5月20日、東京で亡くなった。享年84。

このニコラス神父が所属していたイエズス会とは、日本に初めてキリスト教を伝えたことで有名なフランシスコ・ザビエルらによって創設され、ローマ教皇にも承認されているカトリック教会の男子修道会である。当初はローマ教皇を守るための親衛隊的な軍事組織として活動し、総長であるトップは将軍という称号で呼ばれたりもしていた。その主な活動は世界各地にキリスト教を広めることにあるが、それは建前で、じつはハザールマフィアの一翼を担ってきたバチカンの出先機関として、宣教活動を隠れ蓑としながら軍事的な分野において世界中で暗躍してきた歴史がある。

特にニコラス神父の前のイエズス会総長だったペーター・ハンス・コルヴェンバッハは自らを悪魔教のリーダーと称し、積極的にハザールマフィアのテロ工作にも参加してきた。2001年9月11日のアメリカ同時多発テロ事件も彼の関与が噂されている。

そんな彼の遺志を受け継いでイエズス会総長となったのがニコラス神父だった。ニコラス神父はコルヴェンバッハとともに2011年3月11日の東日本大震災を引き起こした「核・津波テロ」にも大きく関わっているという情報が入ってきている。それこそコルヴェンバッハがこの「核・津波テロ」の後、「自分は悪魔であり、日本列島を海の底へ沈める脅しを行った」と発言している会話のテープも存在している。ニコラス神父がこの「核・津波テロ」にまったく関与していないわけがない。

しかも先に述べたように、この「核・津波テロ」は、時の民主党政権をつぶして日本での利権をハザールマフィアが守るために起こしたものであり、安倍を再び首相の座に押し上げるためのものだった。いわば、安倍にとってはニコラス神父は、首根っこをつかまれていると同時に、大きな後ろ盾となる存在でもあったのだ。

しかし、コルヴェンバッハの後ろ盾になっていたローマ教皇ベネディクト16世が退任し、新しく教皇となったフランシス1世はハザールマフィアと手を切るような動きを見せていることは先に述べた。ベネディクト16世のもとでイエズス会総長に選任されたニコラス神父が微妙な立場になったことが容易に想像される。そのフランシス教皇が2019年7月に来日した際、上智大学でニコラス神父と面会している事実もなんとも示唆的である。ニコラス神父に過去の罪を告白させたのかもしれない。

ニコラス神父の死は安倍にとって大きな損失でもあったのだ。

東京五輪の開催と延期をめぐる陰謀

ニコラス神父の死は安倍晋三を大いに慌てさせたことだろう。ハザールマフィアの忠実な下僕であった安倍は、忠実でありすぎたからこそ、ハザールマフィアの力が弱まったことで、自身の立場が危ういものとなったことを自覚するしかなかった。

しかもニコラス神父が亡くなる2カ月前の2020年3月24日、同年7月に開催されるはずだった東京オリンピック・パラリンピックの延期が決定された。

じつは、この延期の決定を日本に認めさせたのはアメリカ軍だという情報が私のもとに届いている。

第4章で述べたとおり、それまでハザールマフィアの実行部隊として行動してきたアメリカ軍は、2001年9月11日のアメリカ同時多発テロ事件や2011年3月11日の東日本大震災「核・津波テロ」を目撃するに及んで、ハザールマフィアに懐疑的になっていった。

特に東日本大震災「核・津波テロ」では、アメリカ軍も犠牲者といっていい。

アメリカ軍は日本が大震災に見舞われたことを知ると、ただちに救援に駆けつけてくれた。いわゆる「トモダチ作戦」である。特にアメリカ海軍の空母ロナルド・レーガンは韓国に向かう予定を変更して福島沖に向かい、被災地に救援物資を運ぶなどの活動に従事した。

しかし、アメリカ兵たちは津波によって原子力発電所がメルトダウンを引き起こしたことや太平洋に放射性雲が広がっていることを知らされていなかった。それこそ1週間近くも放射線防護のない状態のまま船上で活動した者もいたほどだった。

その結果、420人を超えるアメリカ兵たちが被爆によって健康被害を受けることになった。救援活動に当たったアメリカ兵の中には甲状腺癌などを発症し、亡くなった者たちも多数いる。その他、頭痛や脱毛などの症状に苦しんだり、先天性欠損症のある胎児を身ごもった女性兵士もいたりした。

「核・津波テロ」を実行したイスラエルと、その背後にいるハザールマフィアに対するアメリカ軍の怒りは相当なものだったろう。その後、アメリカ軍の内部で良識派と呼ばれる人たちが台頭するにつれ、ハザールマフィアへの恨みを晴らす機会を虎視眈々と狙っていたことが容易に想像される。

そんな中でハザールマフィアがばらまいた新型コロナウイルスとそれに続くパンデミック騒動が起きた。オリンピックに参加するアスリートからでさえ開催を危ぶむ意見が噴出したが、それでも安倍政権はなかなか延期の決断を下すことができなかった。それというのもオリンピックには巨額の利権が絡んでおり、ハザールマフィアだけではなく、日本企業もオリンピックを延期されては困ることになるからだ。それこそオリンピックの開催を狙ってこれまで投資してきたお金を回収できなくなる可能性もある。

そもそもオリンピックが東京で開催されることが決まったのもハザールマフィアの力だった。ハザールマフィアは「核・津波テロ」を実行して日本を壊滅寸前まで追いやったことに対する罪滅ぼしというか、よく耐えたというご褒美でオリンピックを東京で開催することを後押ししたのだ。もちろん、ハザールマフィアの忠実な下僕である安倍のもとでオリンピックが開催されれば、さらなるハザールマフィアの利益になることも分かっている。日本における安倍の仲間たちにとっても、オリンピックは金のなる木だった。

しかし、そこに待ったをかけたのがアメリカ軍だった。アメリカ軍はもしもこのままオリンピックを続行するなら東京にある横田基地を爆破するとまで脅したという。

これに反発するだけの力はもはやハザールマフィアにはないことを知った安倍とその仲間たちは、渋々ながらも承諾せざるをえなかった。

理性的な日本国民からすれば、安倍政権が我々の税金を使ってハザールマフィアのために奉仕してきた数々の行為は、まさに背任に当たる。ハザールマフィアに洗脳された日本国民の大半がアメリカに追随することを容認し、アメリカに隷属することを求めているようにさえ見える。第2次安倍政権の支持率がいっこうに下がらなかったのは、その証拠である。

しかし、ハザールマフィアと反ハザールマフィアの権力闘争はそれほど甘いものではない。アメリカ軍が安倍晋三を脅してオリンピックを延期させたことでハザールマフィアの力を低下させようとしたように、今、世界には新しい力が台頭しつつある。そして、既存の権力者を排除する形で世界再編の動きがすでに始まっていると前章で述べたが、そのために最初に排除された権力者の一人がまさに安倍だったのだ。

アメリカ軍が安倍首相に「最後通牒」

安倍に最後通牒を突き付けたのは、またもやアメリカ軍だった。直接、安倍に辞任を迫ったのはアメリカ宇宙軍の作戦部長ジョン・レイモンドだという情報も入っている。

首相動静を確認すると、2020年8月27日、安倍は首相官邸でレイモンドと会っていることが分かる。さらに、信頼する情報筋によると、レイモンドはアメリカ軍の特殊部隊を多数引き連れて日本にやってきたのだという。もしも安倍が辞任を承諾しなかったらどうなるか。アメリカ軍の特殊部隊は安倍に対する脅しの役目を担っていた。こうして安倍はレイモンドと会った翌日の8月28日、首相を辞任することを発表した。

もちろん、安倍はレイモンドに辞任を迫られるまでもなく、首相の椅子から去ることを決めていたという可能性もある。すでに、自分の後ろ盾であったニコラス神父をはじめとする日本国内でのハザールマフィア勢力の力もなくなりつつあったからだ。

２０２０年6月15日の夕方、当時の河野太郎防衛大臣が陸上配備型迎撃ミサイルシステム「イージス・アショア」の配備計画の停止を突然、表明したのも、政権内部での安倍の力が弱まった証拠だともいえる。安倍はこれまでアメリカの言い値で武器を爆買いしてきたが、アメリカのゴリ押しする時代遅れで割高な武器は買わないと判断した勢力に対抗するだけの力は残っていなかったのだ。

さらに「桜を見る会」や「河井克行・案里両議員夫妻の買収問題」などに関して、司法の手が自分に伸びようとしている危機も感じていたはずだ。

安倍の後援会が「桜を見る会」前夜に催した夕食会をめぐり、２０２０年5月21日、全国の弁護士や法学者ら６６２人が寄付行為を禁じる公選法と政治資金規正法に違反した疑いで、安倍と後援会幹部２人の計３人の告発状を東京地検に提出した。イスラエルの諜報機関モサドの情報筋によると、これはハザールマフィアたちが日本における悪事の全責任を安倍に押し付けて逃げようとしているサインだという。まさにトカゲの尻尾切りだ。

これに対して安倍は、自分を守ってくれることを期待して黒川弘務検事長の定年を延長しようとしたが、世論の反発や賭け麻雀をしていたことがリークされて、肝心の黒川検事長が辞任せざるをえなくなったことは皆さんもご存じのことだろう。

おまけに、これまでずっと自分の子飼いだとばかり思っていた内閣官房長官の菅義偉が、じつは首相の座を狙って着々と根回ししていたこともニュースや新聞などで報じられたとおりだ。

いずれにせよ、安倍が首相を辞任するのは、時間の問題だったのだ。

菅政権が打った「軍事政権」への布石

2020年9月16日、菅義偉が第99代内閣総理大臣に就任した。

菅首相は安倍政権の取り組みを継承することを表明しているが、今後、どのような方向に向かうのか、まだまだ見極めが必要だろう。ある情報筋によると、菅首相にはさまざまな利権絡みの疑惑があり、いずれは暴露されて、短命政権に終わるかもしれないともささやかれ

安倍首相辞任の真相は
ハザールマフィアの弱体化にあった

安倍前首相は数々の売国政策によりハザールマフィアに奉仕してきた。しかし、後ろ盾だったハザールマフィアの弱体化により安倍は首相を辞任せざるをえなくなった。さらに辞任後、「桜を見る会」の不正をめぐり公設秘書が立件されるなど、司法の手が伸びてきている。安倍は用済みとして粛清される運命のようだ。

（出所）写真上／首相官邸の Twitter より　写真下／ YouTube より

ている。

現時点で分かってきたこともある。日本学術会議の任命について、その法的根拠が曖昧にもかかわらず菅首相は拒否権を行使した。これは自分の意に沿わない者は登用しないという表れであり、官僚たちにも人事権を行使して、自分の都合のいい者ばかりで回りを固めようとしている。ある意味、独裁体制ということでもある。

これは結局、安倍晋三でさえなしえなかった軍事政権への布石だともいえなくはない。特に日本学術会議の任命拒否で分かったことは、たとえ菅が否定しようとも、安保法制など、これまで安倍政権が進めてきた政策に反対をしてきた学者が排除されたということである。しかも任命拒否問題からいつのまにか議論がすり替えられ、科学技術を軍事利用しないという決議をしている日本学術会議そのものを解体しようという動きまで出てきた。明らかに日本が戦争をしやすくする布石だと勘ぐられても仕方がない。

その上、菅首相が誕生した直後、台湾の総統だった李登輝の告別式に出席するために台湾に赴いた森喜朗元首相は、台湾総統の蔡英文と会談し、首相を辞任する前の安倍から告別式への参列を要請されたことを明らかにした。さらに菅首相からの伝言として「何かの機会にお話しできればいいなと思っている」と伝えている。

これが意味するものは、日本は台湾問題を刺激して中国に揺さぶりをかけているということである。このような菅の姿勢は、安倍からの継承だとはいえ、いまだにハザールマフィアの出先機関であるCSISの意を受けて行動していることの証左でもある。

CSISは先にも説明したとおり、ハザールマフィアの念願である第3次世界大戦を始めるために各国を巻き込もうと画策している。特にCSIS日本支部はこれまでも日本の政治家をコントロールして日本政府にさまざまな命令を下してきた。ハザールマフィアの力が弱まったことで、もはやその影響力も低下したのかと思っていたら、じつはそうではなかったのだ。

菅首相は「日本のグノーシス派」になれ！

もちろん、菅政権は発足したばかりなので、今後の言動を注視しなければならない。安倍晋三の後ろにいるハザールマフィア勢力を菅首相が一掃する可能性もないとはいえない。

しかし、ハザールマフィアの手先として日本型経済運営を壊したあの竹中平蔵を安倍政権から引き続いて政権内で重用するような姿勢を見る限りでは、菅がまだハザールマフィア勢力側にいるのは確かだろう。特にCSISの日本支部を支配しているマイケル・グリーンとニコラス・セチェニーの2人をいち早く排除しなければ、菅政権のもとで日本は確実に第3

次世界大戦へと導かれることになるのは間違いないと思われる。

その一方で菅首相に期待したい面もある。それは菅が世襲の議員ではないということだ。民主党政権時代を除いて自民党出身の首相は2001年に就任した小泉純一郎から安倍晋三まで、すべて親や祖父が国会議員だった世襲議員だった。

これは第5章で触れた「13血族」と「グノーシス派」との対立と似ている。13血族は血統を重視して世襲であることの優位を主張してきたが、グノーシス派は世襲制に反対し、能力主義を主張してきた。そういった意味では、菅首相は日本のグノーシス派だといえるだろう。

これも第5章で触れたことだが、グノーシス派はフランス革命やアメリカ独立革命、ロシア革命などを引き起こして、13血族が築き上げてきた権力を打ち倒し、能力主義を基本とした近代社会をつくり上げてきたという自負がある。菅首相もこのようなグノーシス派の精神にのっとり、これまでの古い日本の政治体質を打ち壊して、能力主義を基本とした新しい世界を築いていってほしいものである。

ただし、グノーシス派が信仰していた悪魔教だけはごめんこうむりたい。悪魔教とは「自分たち以外の人間を家畜のように奴隷として扱う」というハザールマフィアの信仰と同じものだとこれまで述べてきたが、菅が掲げる「自助・共助・公助」という言葉を見ると、なんとも不安ではある。最初は自分でがんばり、それで駄目なら家族や地域で助け合い、それで

菅新政権はハザールマフィアと決別できるのか？

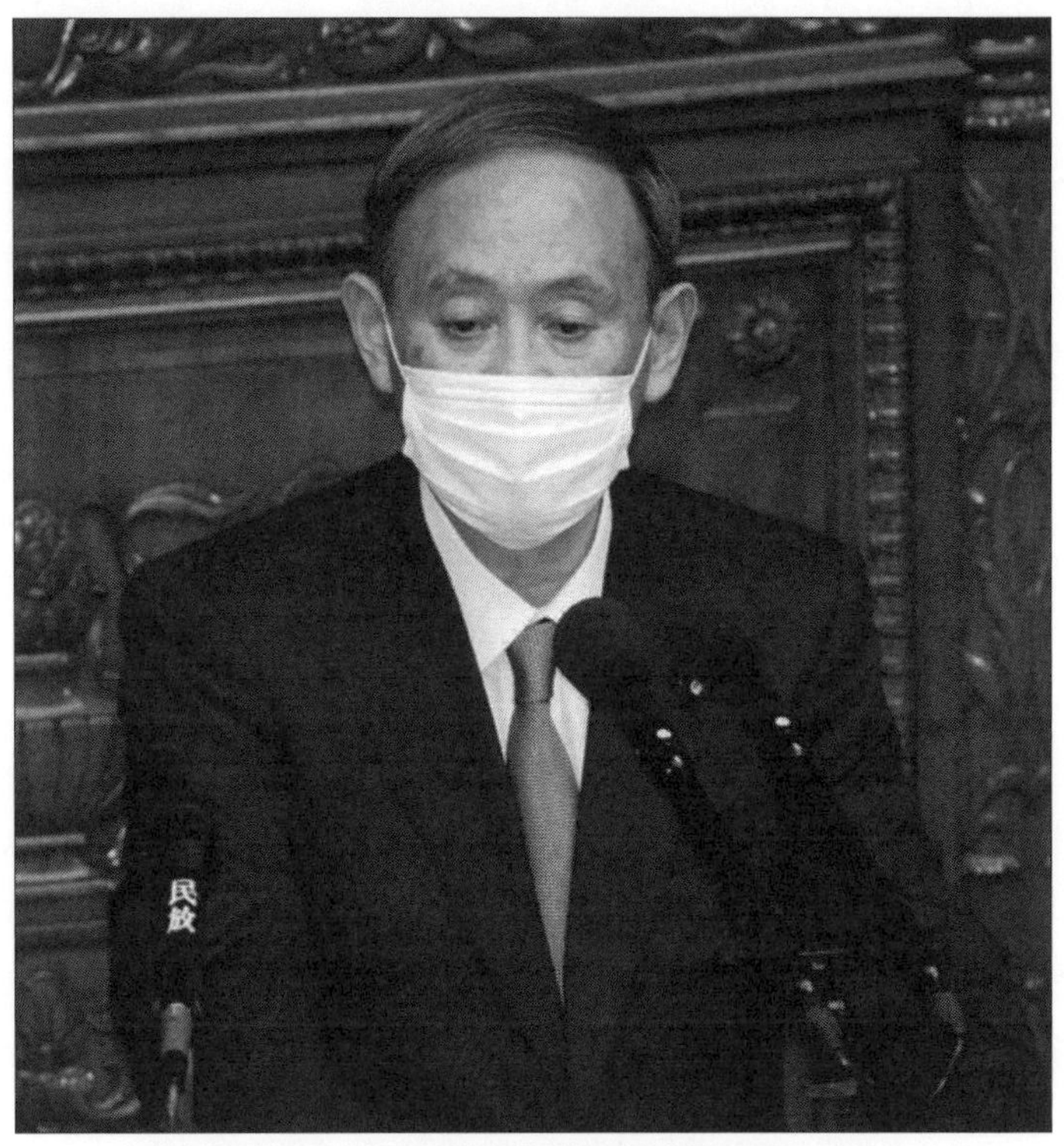

ハザールマフィアの手先である竹中平蔵をブレーンに登用し、ジャパンハンドラーのCSIS（戦略国際問題研究所）の意向に従うなど、安倍政権を継承した菅首相も依然としてハザールマフィア勢力の影響下にある。今後、ハザールマフィアを排除するのか、彼らの支配を受け入れるのか。日本人は菅政権の動向を注視せねばならない。

（出所）首相官邸のTwitterより

も駄目なら、そのときに初めて国が出てくるというのは、まさに弱肉強食を前提としており、最終的には権力者に弱者を隷属させるというふうにも聞こえるからだ。

また、菅が信奉していると伝えられている実業家のデービッド・アトキンソンは、ゴールドマン・サックス出身ということからも分かるとおりハザールマフィア側の人間だが、彼の主張は日本の中小企業をつぶして大企業に吸収させようというものである。

これもまたハザールマフィアらしい悪魔的な考えだといえる。日本企業の99・7％は中小企業であり、従業員数で見ても中小企業で働く人は全体の68・8％という多さだ。この日本の中小企業をわずか0・3％の大企業に吸収させ、全従業員の68・8％の人たちを隷属させようというのだから、まさに悪魔信仰そのものではないか。

このような人物に菅は政策ブレーンとして信頼を寄せているというのだから、すでにハザールマフィアに洗脳され、「自分たち以外の人間を家畜のように奴隷として扱う」ことに何のためらいもない可能性もある。

5G電磁波で日本人をコントロール

菅新内閣の今後の動静とともに、私が日本で今、気にしていることがある。それは5Gだ。

５Ｇの危険性については第２章や第３章で述べてきた。特に私の知人である獣医師が東京にある善福寺公園で見つけた３羽の鳥の死骸について、その死因が５Ｇの電磁波による公算が高いということも説明した。

その５Ｇのサービスが日本でも２０２０年３月からスタートしている。大手スマートフォンメーカー各社の５Ｇ対応端末も出そろった。第５世代の通信規格である５Ｇに対応する携帯電話を持てば、映画などの大容量のデータも短時間でダウンロードでき、いっそう利便性が広がると喧伝されている。また、５Ｇを利用すれば自動運転や遠隔医療も可能になるばかりか、工場の製造ラインの多くをインターネットにつなぐことで自動化するなど、産業分野での活用も大いに期待されているという。

とはいえ、５Ｇの基地局は日本全国に広がっておらず、５Ｇが利用できるエリアはまだ限られている。ＮＴＴドコモやソフトバンクなどの通信事業社の基地局は各社ともまだ１万局未満でしかない。そのため今後は基地局を増設する予定で、ソフトバンクとＫＤＤＩは２０２２年３月末までに基地局を５万局まで増やす計画を立てている。ＮＴＴドコモも２０２１年３月までに全国５００都市の一部地域にエリアを拡大したいという。

このように５Ｇの基地局が全国各地に増設されれば、そこから発信される電磁波を私たちは否が応でも浴びてしまうことになる。

私は5G電磁波の危険性について政府の担当部署に訴えたこともある。しかし、政府はいまだに5Gの安全性に関する調査を行っていないという返答だった。

2020年2月、日本政府が横浜港内に隔離されたクルーズ船ダイヤモンド・プリンセス号内で、秘かに5G電磁波による人体への影響を調査していたという情報もあるが、その調査自体がなかったことにされている。それどころか、5G電磁波により健康被害が出ても、すべて新型コロナウイルスのせいにされてしまう危険性もある。先に述べたように、ある種の5G電磁波を浴びると、新型コロナウイルスに感染したような症状を見せるからだ。

5Gの危険性はそれだけではない。内部告発を寄せてくれた南アフリカの元秘密警察の人間によると、その秘密警察は以前に「黒人の行動統制」を目的とした電磁波実験を行っていた。それにより、特定の周波数で暴動を誘発したり、逆に沈静化させたりと、大衆をコントロールできることが確認されたという。今後、日本でも同じような社会工学的実験が行われる可能性は大いにあるだろう。

菅首相が通信事業者に圧力をかけて携帯電話の料金を引き下げようとしているが、これも5Gを推進するための策略かもしれない。総務省によると、5Gに対応した携帯電話の契約数は2020年6月末の時点で全体の0・1%程度にとどまっている。携帯電話の料金を引き下げることで、5Gに対応した携帯電話の普及を後押ししようとする狙いが透けて見える。

実際に菅政権下で電話通信行政を担当する武田良太総務大臣は5Gの必要性と利用拡大を訴えた後に次のように述べている。

「2023年度末には5Gの地域カバー率98%以上を達成し、世界最高の水準となるよう着実なインフラ整備を促していきたい」

政府がこれほどまでに5Gを推進する背景には、5G電磁波によって私たち一般大衆をコントロールし、支配する狙いがあるからではないだろうか。

これまで私は安倍政権がいかにハザールマフィアの忠実な犬であったかを述べてきたが、新型コロナウイルスが日本で感染を拡大し始めたころから、安倍はハザールマフィアに対して消極的な態度を取るようになっていた。ハザールマフィアの力が弱まってきたことを肌で感じ取っていたために、自分が生き残るためにも、これ以上のハザールマフィアとの関わりを弱めていこうとしたのかもしれない。

そんな中で、私が安倍政権に関して一つほめたい点は5Gへの対応である。

ダイヤモンド・プリンセス号内で、秘かに5G電磁波による人体への影響を調査していたという情報があったことを先に述べたが、その情報筋によると、その調査結果として出てきたのは確かに5Gは人体に害があるというものだったらしい。その報告を受けて安倍は、日本国内での5G展開を推進から一転して慎重な立場に変えたとされる。そのために5Gサービスが2020年3月からいったんはスタートしたものの、その後の展開は停滞するようになった。

さらに安倍は、5Gが人体に害を与えるという調査結果を各国の首脳陣にも伝えたという。そのことによって、世界各国でも5Gを積極的に展開することに躊躇（ちゅうちょ）するようになっているというのだ。

そういった意味からも、5Gだけでなく、私たちはさらに注意深く菅政権のこれからを見ていく必要がある。そして、もしも菅政権が誤った方向に行くのであれば、私たちは勇気を持って「NO」と言うべきだ。

政治家が一番恐れるのは、選挙で落選することである。選挙などいくらでも権力側が有利になるよう不正ができるという人もいるだろうが、それでも私たちは一票を投じる権利がある限り、その権利を放棄してはいけない。自民党の総裁の任期が2021年9月、衆院議員の任期も2021年10月に迫っている中、菅首相がいつ衆議院を解散するか分からない状況でもある。

これまで世界を支配してきたハザールマフィアから新しい世界体制に移ろうとしている今、私たち日本国民は戦争などという狂気に巻き込まれないためにも、正しい選択をする必要がある。いつまでも古い体質にしがみつく政治家に任せておくことは、もはやできない。

私たち日本国民が自分の頭で考え、自分で行動していくしかないのだ。

ハザールマフィアの悪魔的な支配から抜け出さない限り、私たちに明るい未来はないのだから。

おわりに

世界は今、古代から続く欧米文明の支配体制が終わり、新しい時代への転換が始まろうとしていることを私は本書で述べてきた。

しかし、そのことを目に見える形で実感できるかというと、なかなか難しい。

私たちはボートに乗っているのと同じで、暗い海中をのぞき見ることはできず、海の底でどんなことが起きているのか分からないからだ。仮に海の底で怪物たちが激しく闘っていても、私たちは得体の知れない巨大な怪物の足のようなものが海面に出てきた一瞬しか、海の底の様子をうかがい知ることができないのだ。

とはいえ、欧米文明を支配してきたハザールマフィアの勢力が最後の悪あがきをしていることで、ボートの中にいる私たちでも海の底の様子がしだいに分かるようになってきた。ハザールマフィアという怪物がもがき苦しみ、海面に浮上することが多くなったからだ。

しかも、彼らの司令塔がどうやらスイスにあり、その中枢にはエジプトのファラオの血筋を汲む「オクタゴングループ」という存在があることも分かってきた。現在、まだその詳細を述べるまでには至っていないが、近い将来、その実態を明らかにすることができるかもしれないので、皆さんは楽しみにしてほしい。

その一方で、ハザールマフィアの最後の悪あがきが、ここにきていっそう危険なものになってきていることにも注意を向けてほしい。その最たるものが現在、世界規模で再び拡大している新型コロナウイルスの感染と、それに伴うワクチン接種だ。特にワクチン接種については、本書でも説明したとおり、その接種の目的は新型コロナウイルスの感染拡大の予防ではなく、遠隔でデータを読み取ることができるチップを大衆に埋め込むことにある。そのことによってハザールマフィアが私たちを家畜化しようと画策しているのだ。

それにもかかわらず日本の菅政権は、全国民に無償でワクチンを提供すると発表している。これは私たち日本国民に対する明らかな背任であり、本来なら死罪にもあたる行為だ。

私たちはハザールマフィアに操られている政府にだまされることなく、逆に政府の言動を注意深く見ていかなければならない。2021年、私たちは新しい世界への転換に向けて、いっそうの覚悟と覚醒が必要だともいえるだろう。それがひいては私たちの健康を守ることになり、幸せにつながるはずだ。そのためのヒントを何かしら本書が与えることができたとしたら著者としても幸いである。

2020年12月末日　ベンジャミン・フルフォード

バイデンはなぜ、アメリカ最後の大統領になるのか?

日本人が知るべきアメリカ崩壊の真実

2021年2月11日　第1刷発行
2021年2月28日　第2刷発行

著者 ベンジャミン・フルフォード
Benjamin Fulford

装丁　明日修一

発行人　岩尾悟志

編集人　末永考弘

発行所　株式会社かや書房
〒162-0805
東京都新宿区矢来町113　神楽坂升本ビル3F
電話　03（5225）3732（営業部）
FAX　03（5225）3748

印刷所　中央精版印刷株式会社

ISBN　978-4-910364-04-9　C0036